A clínica, a relação psicoterapêutica e o manejo em Gestalt-terapia

CIP-BRASIL. CATALOGAÇÃO-NA-FONTE
SINDICATO NACIONAL DOS EDITORES DE LIVROS, RJ

C572

A clínica, a relação psicoterapêutica e o manejo em Gestalt-terapia / organização Lilian Meyer Frazão, Karina Okajima Fukumitsu. – São Paulo : Summus, 2015.
184 p. (Gestalt-terapia: fundamentos e práticas ; 3)

Inclui bibliografia
ISBN 978-85-323-1004-0

1. Gestalt-terapia. 2. Psicologia. I. Frazão, Lilian Meyer. II. Fukumitsu, Karina Okajima. III. Série.

15-19243   CDD: 616.89143
                                            CDU: 159.964.32

www.summus.com.br

Compre em lugar de fotocopiar.
Cada real que você dá por um livro recompensa seus autores
e os convida a produzir mais sobre o tema;
incentiva seus editores a encomendar, traduzir e publicar
outras obras sobre o assunto;
e paga aos livreiros por estocar e levar até você livros
para a sua informação e o seu entretenimento.
Cada real que você dá pela fotocópia não autorizada de um livro
financia o crime
e ajuda a matar a produção intelectual de seu país.

A clínica, a relação psicoterapêutica e o manejo em Gestalt-terapia

LILIAN MEYER FRAZÃO
KARINA OKAJIMA FUKUMITSU
[ORGS.]

summus
editorial

A CLÍNICA, A RELAÇÃO PSICOTERAPÊUTICA E O MANEJO EM GESTALT-TERAPIA Copyright © 2015 by autores
Direitos desta edição reservados por Summus Editorial

Editora executiva: **Soraia Bini Cury**
Assistente editorial: **Michelle Neris**
Capa: **Buono Disegno**
Produção editorial: **Crayon Editorial**

6ª reimpressão, 2024

Summus Editorial

Departamento editorial
Rua Itapicuru, 613 – 7º andar
05006-000 – São Paulo – SP
Fone: (11) 3872-3322
http://www.summus.com.br
e-mail:summus@summus.com.br

Atendimento ao consumidor
Summus Editorial
Fone: (11) 3865-9890

Vendas por atacado
Fone: (11) 3873-8638
e-mail: vendas@summus.com.br

Impresso no Brasil

Sumário

Apresentação 7
Lilian Meyer Frazão e Karina Okajima Fukumitsu

1 A primeira entrevista. 11
Ênio Brito Pinto

2 *Setting* e contrato terapêutico 30
Silverio Lucio Karwowski

3 Relação, atitude e dimensão ética do encontro terapêutico
na clínica gestáltica 55
Beatriz Helena Paranhos Cardella

4 Compreensão clínica em Gestalt-terapia:
pensamento diagnóstico processual e
ajustamentos criativos funcionais e disfuncionais 83
Lilian Meyer Frazão

5 As técnicas em Gestalt-terapia 103
Mauro Figueiroa

6 Teoria e técnica do trabalho com sonhos em Gestalt-terapia . . 129
Alberto Pereira Lima Filho

7 Término e interrupções da relação psicoterapêutica
em Gestalt-terapia. 149
Karina Okajima Fukumitsu

8 Gestalt-terapia na clínica ampliada 163
Maria Alice Queiroz de Brito (Lika Queiroz)

Apresentação

LILIAN MEYER FRAZÃO
KARINA OKAJIMA FUKUMITSU

Nosso objetivo ao organizar a **Coleção Gestalt-terapia: fundamentos e práticas** é oferecer à comunidade gestáltica (estudantes de psicologia, especializandos, profissionais de Gestalt) informações claras e organizadas para o aprofundamento e ampliação do saber gestáltico.

No volume 1, os fundamentos epistemológicos e as influências filosóficas foram nossa preocupação para que pudéssemos oferecer ao leitor uma base sólida das influências recebidas pela abordagem gestáltica, que constituem o alicerce sobre o qual se desenvolveu sua concepção teórica. Esse foi o tema abordado no volume 2, o qual apresenta a conceituação teórica da abordagem e suas inter-relações.

Neste terceiro volume, nossa proposta é a de apresentar reflexões sobre algumas das questões clínicas, seu manejo e a relação psicoterapêutica – quer o trabalho se desenvolva no contexto de consultório, quer em instituições.

No primeiro capítulo, Ênio Brito Pinto apresenta reflexões sobre a primeira entrevista em Gestalt-terapia. Ele enfatiza nuanças importantes a ser consideradas antes do início do processo psicoterápico.

No segundo capítulo, escrito por Silverio Lucio Karwowski, são abordadas as inúmeras e sutis implicações que devem ser consideradas no *setting* e no contrato terapêuticos.

O capítulo de Beatriz Cardella traz uma visão sobre a relação terapêutica e suas importantes consequências éticas no mundo contemporâneo, consequências essas que se fazem presentes ao longo do processo psicoterápico.

No Capítulo 4, Lilian Frazão expõe a compreensão clínica em Gestalt-terapia, por meio daquilo que denominou "pensamento diagnóstico processual". Ela fala ainda sobre sua compreensão dos ajustamentos criativos funcionais e disfuncionais.

O capítulo de Mauro Figueiroa, além de explicitar as técnicas e os recursos da abordagem, tece importantes considerações relativas a seu uso, além de diferenciar técnicas, exercícios e experimentos e discorrer a respeito de como se desenvolvem estes últimos.

Ao versar sobre o trabalho com sonhos, Alberto Pereira Lima Filho destrincha cuidadosamente a maneira como Fritz Perls trabalhava com sonhos, demonstrando uma metodologia clara e coerente.

Já Karina Okajima Fukumitsu oferece-nos uma reflexão sobre a miríade de significados e possibilidades de términos em um processo psicoterapêutico, esclarecendo que o que se encerra não é o processo, mas a relação terapêutica.

Fechamos esta obra com um capítulo escrito por Maria Alice Queiroz de Brito (Lika Queiroz). A autora comenta algumas especificidades do trabalho clínico em instituições na atualidade, além de abordar o modelo de hipótese processual que desenvolveu e tem se mostrado muito útil quando aplicado ao trabalho na clínica ampliada.

Esperamos que, com este terceiro volume, possamos oferecer à comunidade gestáltica alguns dos tópicos relativos ao trabalho clínico tanto em consultório particular quanto nas instituições – as quais, em ritmo crescente, demandam esse tipo de trabalho para o qual a Gestalt-terapia mostra-se cada vez mais uma abordagem adequada e compatível.

1
A primeira entrevista

ÊNIO BRITO PINTO

A primeira entrevista em psicologia é provavelmente um dos momentos mais importantes em um trabalho psicoterapêutico e guarda diversas peculiaridades – como as que dizem respeito à sua finalidade e ao contexto no qual se dá. A entrevista que tem por finalidade um processo psicoterapêutico em consultório particular tem limites e exigências de certa forma diferentes dos exigidos em uma entrevista de triagem institucional. Do mesmo modo, uma primeira entrevista para atendimento grupal é diferente da primeira entrevista para um diagnóstico, assim como a primeira entrevista com os familiares de uma criança ou de um adolescente é diferente da primeira entrevista com o próprio adolescente ou com a própria criança. No entanto, guardam entre si semelhanças significativas, as quais pretendo abordar neste capítulo.

Já de início é bom lembrarmos que, quando falamos em primeira entrevista, não necessariamente estamos-nos referindo a um único encontro, mas a um conjunto de sessões que permitirão que terapeuta e cliente se conheçam e estabeleçam o "se" e o "como" de um processo terapêutico – isto é, se existe a necessidade de terapia, se ela deve ser feita com aquele terapeuta e como poderá ser desenvolvida.

Isso posto, é hora de colocarmos uma primeira questão: quando começa a primeira entrevista? Ela tem início ainda quando o terapeuta está muito longe, no momento em que o cliente recebe uma indicação ou quando se decide a procurar terapia para lidar com questões que o afligem. Naquele momento já começam as fantasias sobre como poderá ser esse encontro, sobre como poderá ser a pessoa que o atenderá. De maneira geral, a psicoterapia ainda não é uma primeira opção para quem depara com um sofrimento emocional com o qual não pode lidar sozinho. Antes da terapia, via de regra, são tentadas outras soluções – do apelo a uma possível força de vontade ou a livros de autoajuda ao pedido de socorro a amigos ou autoridades religiosas ou médicas, além da possível busca de soluções mágicas que tragam pouca ou nenhuma dor. Para a maioria das pessoas, somente quando essas alternativas não dão respostas satisfatórias a possibilidade de processo psicoterapêutico é de fato tomada a sério.

Esse caminho de busca de alternativas anteriores à terapia não é ruim, pois já configura o início do processo terapêutico, sobretudo porque denota que a pessoa já está em contato com seu sofrimento e busca soluções para transformá-lo em crescimento, mesmo que não se dê conta disso de modo explícito. Alguns indivíduos que procuram a terapia logo depois de uma indicação médica, por exemplo, raramente fazem de fato um processo terapêutico, pois essa busca costuma apoiar-se em uma expectativa mágica, quase sempre frustrada já na primei-

A clínica, a relação psicoterapêutica e o manejo em Gestalt-terapia

ra entrevista – quando a pessoa percebe que não há mágicas em psicoterapia, mas trabalho conjunto e, no mais das vezes, árduo. Tendo a ficar esperançoso ante um processo terapêutico quando a pessoa me conta que há um bom tempo tem uma indicação para a terapia. Nesses casos, é enorme a probabilidade de que ela já tenha começado a enfrentar o difícil dilema que vive e tenha encontrado a saída na coragem de se expor a si por meio da exposição de si a um psicoterapeuta.

Fazer terapia é uma aventura tanto para o cliente quanto para o terapeuta. Significa, no caso do primeiro, dispor-se a se defrontar com aspectos de si que não conhece bem ou teme, correr o risco de aceitar e promover mudanças às vezes muito doloridas na própria vida, ter de se desacomodar de anacrônicas e aparentemente confortáveis posições já conhecidas, em geral conquistadas depois de muita luta. Fazer terapia significa abrir-se para se conhecer até atingir o ponto de abrir-se com curiosidade para desconhecer-se com confiança. Significa propor-se a se flexibilizar de tal modo que possa ampliar o diálogo, sempre necessário, entre a mudança e a permanência no modo de ser e de viver, de modo que as permanências não enrijecidas sustentem as mudanças atualizadoras. A pessoa que procura terapia intui isso e, ao fazê-lo, sente medo. Por isso, precisa de coragem, o combustível nutridor da terapia e também da própria vida.

Assim, uma vez que a pessoa encontra essa coragem necessária para se propor à aventura da terapia, resta escolher com quem se dará o processo. Como encontrar um terapeuta? O caminho habitual é a indicação feita por pessoas confiáveis. Menos comuns, mas crescentes, são as buscas pela internet ou pelo rol de profissionais de um convênio médico.

Escolhida a pessoa que poderá ser o terapeuta, o próximo passo diz respeito a como entrar em contato com ela. Prepondera ainda, e assim será, creio, por muito tempo, o telefone. Mas há outras possibilidades: as redes sociais, o e-mail, a ida pessoalmente ao endereço para marcar a primeira entrevista.

Sobretudo a partir desse ponto, a relação terapêutica adquire contornos mais consistentes. O cliente já tem uma fantasia mais próxima do real sobre como será o psicoterapeuta, fantasias mais precisas sobre o conteúdo do primeiro encontro; já avançou um pouco mais no começo da terapia. O grau dessas expectativas e, mais especialmente, quanto tais expectativas estão calcadas na realidade serão alguns dos pontos fundamentais para o sucesso ou o fracasso da entrevista inicial. Se as expectativas do cliente estão distantes da possibilidade e das limitações de uma intervenção psicoterapêutica – em outros termos, se o cliente espera demais da psicoterapia e/ou do psicoterapeuta –, não é raro que sua frustração vença a coragem e o início da psicoterapia seja postergado.

Vejo três caminhos mais comuns para o primeiro agendamento: o terapeuta tem uma secretária; o terapeuta tem uma secretária eletrônica; o próprio terapeuta atende ao telefone.

No primeiro caso, quando o terapeuta tem uma secretária que se incumbe do agendamento da primeira entrevista, quero ressaltar dois aspectos. De um lado, o fato de o terapeuta perder parte importante do primeiro contato e deixar de perceber alguns aspectos (tom de voz, desenvoltura na fala ao telefone, facilidade ou dificuldade para agendar um horário comum, entre outros aspectos), percepção essa que não há como delegar a uma secretária, por mais sensível e experiente que ela seja. De outro lado, nesses casos o terapeuta recebe o cliente pessoalmente, não tendo sobre ele uma impressão anterior provocada pelo contato telefônico. Um meio-termo comum no meio terapêutico, e o método de que mais gosto, é a secretária atender o primeiro telefonema, recolher os dados do cliente e avisar que o terapeuta ligará tão logo possa para marcar a primeira entrevista. Esse procedimento afasta a terapia de uma posição mais autoritária – tão comum ao meio médico.

Também no caso do segundo caminho, o da secretária eletrônica, quero apontar dois aspectos, além de lembrar que às vezes é difícil compreender as gravações. Um é certa desvantagem derivada do fato de que certas pessoas não se sentem à vontade para deixar recado em secretária eletrônica e podem desistir. O outro aspecto, uma vantagem desse recurso, é que ele possibilita ao terapeuta estar disponível para receber recados sem o ônus financeiro da contratação de uma secretária – a não ser no caso de instituições ou de clínicas que congreguem um bom número de terapeutas, as demandas de um psicoterapeuta para com uma secretária tendem a ser tão poucas que não justificam esse tipo de colaboração.

O terceiro caminho, que se dá quando o terapeuta atende ao telefone (geralmente celular) pessoalmente e o cliente já de início conhece ao menos sua voz, é, no meu modo de ver, o melhor. Já no primeiro contato telefônico as pessoas começam a se conhecer e a verificar a possibilidade de um encontro terapêutico. Aqui valem as observações para o caso em que o terapeuta retorna a ligação de um possível cliente: nesse contato já se podem observar algumas características da pessoa, suas disponibilidades, dificuldades iniciais e repercussões geradas no terapeuta por essa primeira conversa.

É fundamental que no contato telefônico o terapeuta esteja tranquilo e disponível para seu cliente, sobretudo quando ele retorna uma ligação. Nada de pressa, nada de chamadas entre uma sessão e outra. É melhor ligar um pouco mais tarde que apressadamente, pois o cliente está atento e sensível a qualquer pressão que possa vir do terapeuta.

Um dos pontos nos quais encontramos o maior número de estratégias entre os terapeutas e muito comumente já aparece nesse primeiro contato telefônico diz respeito ao preço do atendimento. É comum o cliente perguntar sobre o valor das sessões – quase sempre fator decisivo para que ele marque uma primeira entrevista ou não. Como a questão financeira pode ser fundamental para a consecução de uma terapia, diversos terapeutas preferem não cobrar a primeira entrevista, argumentando que assim podem ter outras fundamentações para verificar se atenderão – ou não – essa pessoa e se farão – ou não – um acordo quanto ao preço das sessões seguintes. Outros terapeutas preferem cobrar essa primeira entrevista, argumentando que se trata de trabalho, devendo este ser remunerado. Para mim, esse é um dos pontos mais controversos do início de terapia, o que obriga cada terapeuta a buscar a melhor solução para esse problema. Ao longo desses tantos anos em que sou terapeuta, já tentei todas as possibilidades que minha criatividade permitiu; para cada possibilidade escolhida, novos problemas se apresentaram, de modo que hoje acredito que, como em muitos aspectos da terapia, o profissional deve ter uma flexibilidade que lhe possibilite escolher a cada caso a melhor postura. Ainda assim, penso que é necessária uma postura-padrão, referencial e não rígida. Nesse aspecto, quando me perguntam quanto custa a sessão, respondo

A clínica, a relação psicoterapêutica e o manejo em Gestalt-terapia

que a primeira delas custará determinado valor e combinaremos o valor das demais pessoalmente. Acredito que isso dá à pessoa um parâmetro sobre o custo de um processo terapêutico ao mesmo tempo que sinaliza a possibilidade de flexibilização do preço em função das disponibilidades do terapeuta e do cliente.

Até aqui estou tratando somente do caso, mais comum, em que o cliente encontra uma indicação de terapeuta e o procura para verificar se podem trabalhar juntos. Mas há outra possibilidade que não posso deixar de comentar. É o que ocorre com os que recebem indicação de mais de um terapeuta e resolvem marcar entrevista com todos eles para decidir com quem farão terapia. Nesses casos, há ainda duas possibilidades: o cliente anuncia já no início que vai estar (ou já esteve) com outras pessoas, ou deixa para fazer esse anúncio no fim da sessão – é muito raro a pessoa nessa situação não contar o fato ao terapeuta.

É comum que os indivíduos que agendam entrevistas com vários profissionais não deem continuidade ao processo terapêutico. É importante realçar que essa postura é qualitativamente muito diversa da postura daquela pessoa que experimentou um primeiro contato com um terapeuta, não conseguiu sentir-se suficientemente bem acolhida, encerrou claramente qualquer possível compromisso com ele e marcou um primeiro contato com outro terapeuta.

O cliente que chega é ainda um estranho que nos procura porque sofre. Ele vem porque acredita na possibilidade de ter ajuda e também de confiar no terapeuta que o espera. A procura da terapia é sinal de que o cliente tem esperança de melhorar sua qualidade de vida. Nós devemos acolhê-lo em seu sofrimento e verificar a possibilidade de, por meio de um processo psicoterapêutico, ajudá-lo a transformar esse sofrimento em crescimento. Receber essa pessoa pela primeira vez exige alguns cuidados com o ambiente e conosco.

O primeiro e mais importante desses cuidados diz respeito ao tempo: embora a duração média de uma sessão de psicoterapia seja de 50 minutos, entendo que a primeira entrevista exige do terapeuta o cuidado de prever um tempo mais elástico para ampliar ou diminuir a duração desse atendimento, dado que esse primeiro contato é um dos mais imprevisíveis. Costumo deixar para o primeiro encontro pelo menos o tempo correspondente a uma sessão e meia.

O segundo cuidado básico e concreto diz respeito ao terapeuta e ao seu ambiente de trabalho. É importante que o cliente perceba que o profissional se preparou para recebê-lo pela primeira vez – o terapeuta está adequadamente vestido, a recepção e a sala de atendimento estão cuidadas, há um banheiro que ele pode usar sem pressa, o terapeuta está disponível na hora aprazada. Além disso, a sala, mesmo sendo do terapeuta, deve guardar espaço suficiente para ser também do cliente, pois um dos quesitos para uma terapia bem-sucedida é que este também possa se apropriar daquele espaço.

Concretudes realizadas, é hora de refletirmos um pouco mais sobre as necessárias atitudes do terapeuta nessa primeira acolhida, sobretudo aquelas que dizem respeito a ele mesmo, àquilo a que precisa estar atento a si para permanecer aberto e disponível. O processo psicoterapêutico como um todo se sustenta em especial em dois pilares, a relação terapêutica e a compreensão diagnóstica, e isso é válido também para a primeira entrevista, de modo que darei especial atenção a eles daqui em diante. Alguns procedimentos paradoxais são de vital importância. Comentarei quatro deles, que me parecem os mais relevantes.

O primeiro desses paradoxos pode ser traduzido pela busca da postura de não procurar para poder encontrar. Em outros termos: é preciso que o terapeuta, num primeiro momento, esvazie-se o mais possível diante de seu novo cliente, a ponto de se abrir para se surpreender com ele. Olhar com interesse para essa pessoa que chega, deixar-se impressionar por ela sem, *a priori*, procurar possíveis patologias ou potenciais ainda não desenvolvidos, sem ter um roteiro prévio para a entrevista. Afinal, a condução do processo é feita pelo cliente, não pelo terapeuta. Isso quer dizer que, mesmo tendo uma abordagem que norteia seu olhar para seu cliente, o terapeuta é, em última instância, um indivíduo ferido diante de outro indivíduo ferido, um ser humano diante de outro ser humano, uma pessoa que se dispõe a verificar se pode ajudar profissionalmente a outra.

O segundo paradoxo, que comecei a anunciar anteriormente, vem da expectativa do cliente de encontrar ajuda com o terapeuta. De certa forma, o cliente procura um especialista e precisa encontrar, antes de tudo, um ser humano. Trata-se sem dúvida de um especialista, de um estudioso de sua área, com conhecimentos técnicos e teóricos que poderá colocar a serviço de seu cliente. No entanto, o terapeuta não tem certeza, a princípio, de que seu serviço e seu arsenal teórico serão úteis àquele que o procura. A única crença que um terapeuta pode ter no começo é a de que somente um ser humano pode acolher outro ser humano em momentos de intensa angústia, de sofrimento ou de impasses paralisantes. O cliente procura a técnica, o especialista, mas precisa receber primeiro a compaixão, matriz da empatia tão fundamental para a relação terapêutica. A compaixão, entendida aqui como um "sentimento piedoso exclusivamente humano de simpatia para com a tragédia pessoal de outrem, acompanhado do desejo de minorá-la" (Houaiss e Vilar, 2001, p. 773), não significa menosprezo pelo outro ou falta de confiança na capacidade dele de transformar sua dor atual em trampolim para crescimento – a compaixão provém do reconhecimento e do compartilhamento da condição humana, às vezes tão precária diante das demandas da existência.

O terceiro paradoxo da terapia e da primeira entrevista é o fato de que, embora deva receber humana e humildemente seu novo cliente, o terapeuta não é obrigado a atender essa pessoa em terapia. Acolher para uma primeira entrevista não é o mesmo que se comprometer a iniciar um processo psicoterapêutico com a pessoa acolhida. Assim como o cliente não dá ao terapeuta garantia de que permanecerá em terapia até que se sinta confiante para tanto, também o terapeuta tem o dever de se perguntar se tem condições de firmar com essa pessoa um compromisso que promete ser intenso e duradouro (até mesmo as psicoterapias breves são suficientemente duradouras para obrigar essa pergunta). Uma das perguntas que costumo me fazer quando recebo alguém para a primeira entrevista é se a pessoa toca meus sentimentos, provoca-me, instiga-me, se me sinto esperançoso em um trabalho com ela. Daí decorrem outras questões: essa comoção é suficientemente confiável para um trabalho duradouro? Essa esperança tem mesmo relação com o encontro ou é um *a priori* que introjetei? Meu conhecimento terapêutico é bom o bastante para atender essa pessoa? Algum preconceito meu pode atrapalhar esse trabalho? Posso mesmo encarar essa aventura?

Além dessas questões, há outras igualmente importantes, ligadas a fatores mais objetivos, como o pagamento pelo trabalho e os horários. Por exemplo, para que um terapeuta aceite trabalhar por um valor simbólico ou em um horário mais incomum, como aos sábados, ele precisa se perguntar se pode manter esse compromisso por um período imprevisível. O terapeuta que aceita receber um cliente aos sábados porque precisa trabalhar poderá manter esse horário quando sua agenda estiver tão cheia que lhe permita viajar nos fins de semana? Ou diante dessa condição ele trairá seu cliente e lhe dirá, ainda que de forma delicada, que procure outro terapeuta? Claro que não me refiro a condições imprevisíveis a princípio – um novo emprego, mudança de cidade ou de profissão –, mas àquilo que pode ser antevisto quando se olha para o futuro e se fazem escolhas.

O quarto paradoxo tem relação com uma aparente ansiedade por parte do terapeuta. A primeira entrevista é mobilizadora também para ele, não só para o cliente, sendo preciso aceitar isso. Recebemos uma pessoa que não conhecemos, que nos trará uma demanda à qual não sabemos se poderemos corresponder; não temos ideia de como aquele encontro nos tocará em relação a nossos valores, crenças, esperanças, sentimentos, formas de lidar com o belo e o trágico da vida. Independentemente dos anos de prática do terapeuta, a primeira entrevista mobiliza, faz-nos viver o que Perls, Hefferline e Goodman (1997, p. 45) chamam de "excitação do crescimento criativo"– que não pode ser confundida com a ansiedade propriamente dita, embora com ela se pareça. A excitação do crescimento criativo é uma vivência de ampliação da *awareness* e da energia que nos permite nos colocarmos mais plenamente ante uma situação; é, por exemplo, o que vive um artista momentos antes de pisar no palco para uma apresentação. Essa vivência se assemelha à ansiedade porque também aqui o corpo fica mais aceso, mais pronto para a ação, a qual se dará em breve e possibilitará o escoamento dessa excitação. Em síntese, há no terapeuta que faz a primeira entrevista uma mobilização inicial que precisa ser suportada, pois ela possibilita que a presença valha a pena.

Uma forma de possível ansiedade (aí, sim, ansiedade mesmo) que quero comentar, ainda que de modo sucinto, é a que deriva da necessidade que o terapeuta possa sentir de fazer sucesso, ou de fazer uma entrevista boa e conquistar mais um cliente. A primeira entrevista não é o momento de mostrar serviço, mas de servir. Em outros termos: o terapeuta não deve se preocupar em parecer bom ou especialmente competente, mas em estar – humanamente – presente. De outra forma ainda: ao psicoterapeuta compete facilitar ao cliente a expressão de sua vivência e a ampliação da esperança de transformar essa dor em atualização com sentido, e isso só se dá com a presença viva e sensível de outro ser humano.

Um quinto tópico diz respeito a uma pergunta que o terapeuta deve se fazer em todo esse início de trabalho: será que essa pessoa precisa mesmo de terapia? Esse caminho seria o melhor para ela? Não podemos cair na tentação de acreditar que se alguém nos procura é porque necessita de psicoterapia. O que de melhor podemos fazer ao acolher um pedido de atendimento psicoterapêutico é ajudar a pessoa a verificar se de fato esse é o melhor para ela naquele momento. Terapia não é para todo mundo – muito menos para todos os momentos da vida.

Como eu afirmava ao tratar do primeiro paradoxo da relação terapêutica na entrevista inicial, o terapeuta precisa confiar quando se esvazia para se surpreender com seu cliente, pois esse esvaziamento influenciará a observação que o terapeuta fará durante a primeira sessão, provocando certa flutuação na formação de figuras e uma posterior e involuntária concentração em aspectos que, ao mesmo tempo, se realçarão no contato com o cliente, num movimento pelo qual se encontram o fenômeno que se mostra e o observador que está ali para ver. Tal movimento permitirá a compreensão diagnóstica, um dos pilares dos primeiros atendimentos, na medida em que conduzirá o olhar do terapeuta para os pontos cuja observação é necessária para a recomendação, ou não, do início de um processo psicoterapêutico, além de embasar a estratégia terapêutica que será proposta. A compreensão diagnóstica, por exemplo, possibilitará a proposição de uma terapia mais breve ou mais longa, a frequência de sessões semanais, a necessidade de recursos adicionais (trabalho conjunto com um psiquiatra ou com outro profissional da saúde) etc. Além disso, determinará a melhor postura do terapeuta diante daquele cliente específico.

Antes de falar da compreensão diagnóstica propriamente dita, é preciso que atentemos para algo extremamente óbvio, como bem nos lembra Yontef (1998, p. 279): "Não podemos evitar diagnosticar. A nossa opção é: fazê-lo de maneira superficial ou não deliberada ou, ao contrário, de maneira bem ponderada e com *awareness* completa". Um passo importante do terapeuta para se abrir à *awareness mais completa* na compreensão diagnóstica é a tentativa, sempre inacabada ao longo da vida, de conhecer como conhece. É parte do treinamento do terapeuta buscar ter a melhor noção possível de seu padrão de estar no mundo, de se relacionar e de perceber as pessoas. Grande parte do nosso modo de perceber é dada pelo que herdamos, pelas construções que fazemos vida afora, pelos valores que nos orientam, pela nossa história, pelas nossas habilidades, pelos nossos horizontes. Algumas pessoas veem muito melhor do que ouvem, outras são detalhistas, outras ainda têm visão ampla; há pessoas que percebem primeiro com o coração e outras que são mais cerebrais. Ou seja, há uma parte do nosso jeito de perceber, mais habilidosa, que vivemos como natural, competindo a nós redescobri-la e aprimorá-la sempre. Mas há também detalhes da percepção que nos são mais difíceis, chegando mesmo a constituir escotomas, que também exigem atenção e busca de conscientização.

Vou levantar agora alguns pontos que me parecem mais significativos para a compreensão diagnóstica na primeira entrevista.

De início, analisemos o trabalho multiprofissional interdisciplinar. É fundamental que o psicólogo tenha sensibilidade e conhecimento suficiente para encaminhar seu cliente para avaliação médica sempre que perceber que isso pode ser útil para o cliente e tranquilizador para o trabalho efetivamente psicoterapêutico. No caso de sofrimentos que necessitem de apoio psiquiátrico para que a psicoterapia seja efetiva, vale a regra de exigir uma avaliação médica antes de iniciar o processo psicoterapêutico. Nesses casos, muitas vezes, a depender da compreensão diagnóstica, é fundamental que o psicoterapeuta não inicie a terapia antes que o cliente vá ao psiquiatra.

A compreensão diagnóstica é um exercício de observação fundamentada na abertura perceptiva e na profunda confiança na formação de sentido do observado e do vivido pelo terapeuta. Buscamos compreender, entre outras coisas, *como*: como o cliente é diante do terapeuta; como ele se relaciona; como é seu mundo; como ele gesticula; como fala; como ouve; como se movimenta pelos caminhos da vida; como se dá conta de si; como se repete e como se surpreende; como lida com o tempo e com o espaço; como ele se desenvolve; que potencialidades explora e quais evita, e como faz isso; que ajustamentos criativos ele fez, faz e/ou poderá fazer; que sabedorias ele tem e reconhece, que sabedorias tem e não reconhece, como faz ou não esses reconhecimentos, que sabedorias não tem; como ele se cuida e como se descuida; como lida com os sentimentos; como lida com sua sexualidade; como lida com os mistérios da vida; como lida com a religiosidade; como se apropriou, ou não, dos valores que o orientam; como sonha e como lida com seus sonhos; como dá significado e sentido à sua história: como ele se lembra; como lida com as lembranças; se brinca e como brinca; como ele está, esteve e nunca esteve; como gostaria e como gostará de estar. Vale também prestar atenção ao tipo de lógica que orienta sua fala, aos valores que se vão mostrando nas entrelinhas, às sutis associações que se vão fazendo, ou não, entre as ideias que a pessoa expõe. "Como" é a palavra-chave para a compreensão diagnóstica na abordagem gestáltica, e embora essas questões necessitem de tempo para ser observadas já na primeira entrevista algumas se destacam e fundamentam a indicação, ou não, da terapia – e o como dela.

Além dessas observações mais amplas, há uma, mais específica, que é fundamental na primeira entrevista: a queixa que o cliente traz à terapia. Como ela é? Como é vivida e relatada pelo cliente? Que sentido ele dá a ela? Não que a queixa seja decisiva para a terapia, pois esta, embora a considere profundamente, não se ocupará primordialmente dela, mas sim do jeito de ser da pessoa. A queixa é o meio pelo qual a pessoa chega ao terapeuta, devendo esse caminho ser confirmado e acolhido. Ela é a ferida que está exposta, é a dor que evidencia um sofrimento, é o modo por intermédio do qual as potencialidades agora disponíveis, mas ainda não atualizadas, pedem passagem. A queixa aponta um sentido para as possíveis e necessárias mudanças; por isso, o trabalho terapêutico não pode se esgotar nela, devendo mover-se em direção a esse sentido a fim de que a queixa cumpra sua missão e deixe de ser necessária por já ter promovido a saúde suficiente agora.

Se a compreensão diagnóstica for bem-feita, permitirá que a primeira entrevista levante questões e pontos que aparecerão na terapia ao longo de muito tempo. Se for capaz de compreender o jeito de ser de seu cliente, o terapeuta poderá ajudar a retomada de seu crescimento porque terá uma base mais sólida para se aventurar na relação terapêutica, e também poderá fazer prognósticos, aventar possibilidades, traçar estratégias e horizontes suficientemente amplos para o processo terapêutico. Isso, por sua vez, lhe possibilitará ser um melhor facilitador para as atualizações de que essa pessoa precisa agora.

O diálogo é o caminho por excelência do processo psicoterapêutico desde o início. Assim, ainda que seja comum, na sessão inicial, o terapeuta mais ouvir que falar, ele não pode ser só ouvidos; precisa mostrar ao cliente como o compreende e como entende a situação que o traz à terapia. Essa demonstração de compreensão e acolhimento se dá sobretudo pela comunicação verbal e não verbal. Esta última denota mais claramente a presença do terapeuta, mas o que se diz ao cliente no primeiro encontro é de igual importância. É preciso que o profissional comente o prognóstico que imagina para o trabalho. Nessa comunicação são necessárias clareza e sensibilidade (especialmente para não ser invasivo ou ameaçador). Fundamental ainda é verificar se o que foi dito foi de fato compreendido pelo cliente. Em decorrência disso, essa comunicação deve ser feita, o mais possível, no vocabulário do cliente.

Um posicionamento ético, que já estava presente em todo o cuidado com a hospitalidade, com a relação terapêutica e com a compreensão diagnóstica, fica ainda mais realçado no cuidado em não fazer falsas promessas, em não prometer curas, mas em demonstrar, quando é o caso, confiança em que a psicoterapia seja um recurso sólido e indicado para que o cliente lide com eficácia com as questões que o afligem. Tal postura conduzirá também o terapeuta no último passo da primeira entrevista, o estabelecimento do contrato terapêutico.

Este se dá como conclusão da primeira entrevista, configurando a abertura para o processo terapêutico. Ele é feito entre o terapeuta e o cliente (ou também entre o terapeuta e os responsáveis pelo cliente no caso de atendimento, por exemplo, de crianças, adolescentes e alguns idosos) e estabelece as regras básicas que regerão o trabalho. Embora o assunto seja mais profundamente discutido neste mesmo volume, gostaria de tecer algumas considerações sobre ele. Baseado na aliança terapêutica, isto é, na confiança de que essa pessoa tem saúde suficiente para assumir sua parte no trabalho terapêutico, esse contrato serve para que se esclareçam, entre outros, os procedimentos a ser adotados com relação a horários, a faltas do cliente ou do terapeuta, à reposição de horários, a férias e feriados, à remuneração, à disponibilidade do terapeuta fora dos horários estabelecidos e ao tempo da terapia nos casos de psicoterapia breve. O contrato tem a mesma base de todo o processo terapêutico: uma profunda aposta no diálogo e na disposição de os dois participantes, cliente e terapeuta, confiarem no sentido e na qualidade da jornada na qual se aventuram a partir de agora. Dessa forma, por ser baseado na confiança, em terapias não institucionais é melhor que esse contrato seja verbal, não por escrito, preservando assim a confiabilidade mútua, princípio pétreo da relação terapêutica dialógica.

Para finalizar, alguns comentários sobre questões esparsas, a começar pelo fato de que mesmo o mais cuidadoso e atento dos terapeutas não tem garantia de que o cliente atendido em primeira entrevista retorne. Há tantas e tão complexas variáveis envolvidas nesse processo de primeiro contato que muitas vezes, mesmo ele sendo bom e terapêutico, a pessoa não volta. Independentemente do fato de a terapia continuar ou não após a primeira entrevista, o terapeuta deve cuidar para que esse primeiro encontro seja, por si só, terapêutico. Para tanto, é preciso que a relação possa facilitar o diálogo entre terapeuta e cliente e do cliente consigo mesmo.

Como todo diálogo, nenhuma primeira entrevista será igual a qualquer outra. Embora se possam seguir procedimentos básicos, ela é sempre fruto do momento, uma situação terapêutica única, pois apresenta variáveis que dependerão de cada situação terapêutica, de cada terapeuta e de cada paciente – de cada campo, enfim. Dessa forma, é preciso que o terapeuta considere sempre suas possibilidades e limitações e também as possibilidades e limitações que percebe em seu cliente.

Algo que está implícito em tudo que discutimos até aqui e precisa ser explicitado é que é de suma importância que o cliente perceba que está sendo compreendido como responsável pela sua vida, como suficientemente competente para lidar consigo mesmo, ainda que de forma que lhe pareça não ideal. É por ser capaz de cuidar de si que ele pôde buscar ajuda quando se deu conta de que não conseguiria lidar sozinho com o que vive no momento.

Por fim, quero empregar outra palavra que não está explicitada no texto mas permeou todas as considerações. A primeira entrevista serve para o cliente perceber se é capaz de despertar e receber o amor de que precisa para sair do lugar conhecido e sofrido e tentar encontrar um lugar aquecido e atualizado. Para o terapeuta, é o momento de descobrir se pode, ou não, aproximar-se amorosamente daquela pessoa; se não se sentir com essa abertura, que consiga ao menos, delicada e respeitosamente, encaminhá-la a quem possa. Se o terapeuta perceber que pode entrar na relação com espírito amoroso, então é certo que essa aventura fará sentido.

REFERÊNCIAS BIBLIOGRÁFICAS

HOUAISS, A.; VILLAR, M. de S. *Dicionário Houaiss da língua portuguesa*. Rio de Janeiro: Objetiva, 2001.

PERLS, F. S.; HEFFERLINE, R.; GOODMAN, P. *Gestalt-terapia*. São Paulo: Summus, 1997.

YONTEF, G. M. *Processo, diálogo e awareness: ensaios em Gestalt-terapia*. São Paulo: Summus, 1998.

2
Setting e contrato terapêutico

SILVERIO LUCIO KARWOWSKI

A literatura a respeito do contrato terapêutico não é consensual ou unívoca. Existem divergências e convergências a respeito de como devem ser formulados os elementos que constituem esse instrumento (Neubern, 2010; Levisky e Silva, 2010), sendo essas divergências mais relativas à adequação do contrato terapêutico às concepções epistemológicas dessas abordagens e aos novos contextos de atuação do psicoterapeuta que ao entendimento acerca da necessidade do estabelecimento do contrato, de sua função e da necessidade de monitorá-lo durante o processo terapêutico.

O exame dos elementos e das condições constituintes do contrato terapêutico numa perspectiva gestáltica foi anteriormente examinado por Lima Filho (1995), Aguiar (2014), Müller-Granzotto e Müller-Granzotto (2007), Rosa (2008) e D'Acri (2009). A fundamentação das elaborações sobre o *setting* e o contrato terapêutico, da forma como aqui as apresento, tem como referência a leitura desses e de outros autores da

Gestalt-terapia, mas também diz respeito à minha experiência clínica de pouco mais de 20 anos, que envolve atividades como psicoterapeuta, supervisor clínico e docente em que os diversos elementos do contrato foram esquadrinhados, contrastados com a literatura e com a prática clínica, a fim de que o contraste de figura/fundo permitisse a emergência da pluralidade de sentidos.

Observo também que utilizarei neste artigo o termo "paciente" para me referir ao usuário do serviço de psicoterapia, assim como indistintamente os termos "terapia" e "psicoterapia", a despeito da interminável polêmica que se pode fazer em relação aos diversos sentidos evocados por esses e por outros vocábulos, em função de não ser este o lócus para realizar e aprofundar a discussão desses sentidos. Aqui me interessa identificar o usuário e o serviço de psicoterapia, em que o entendimento desse campo de trabalho remete inexoravelmente à clínica, condição essa vinculada intrinsecamente a uma noção de psicopatologia e de terapêutica clínica.

De início, o tema pode ser mais bem compreendido mediante o entendimento do que é *contrato*, a distinção entre o *contrato terapêutico* dos demais contratos e as implicações que o levam a também surgir como ferramenta operacional do *setting* terapêutico.

CONTRATO E CONTRATO PSICOTERÁPICO

Etimologicamente, o termo "contrato" é originário do latim *contactu* e significa "trato com". Ou seja, o trato que se estabelece entre duas ou mais pessoas, em determinada ocasião e sobre determinado objeto.

Com base nas incontáveis possibilidades de tratos estabelecidos entre os seres humanos e até mesmo no uso cotidiano do termo, pode-se então falar em múltiplos entendimentos de contrato, sendo mais frequente seu uso na área jurídica e no senso comum. No senso comum seu uso diz respeito a um acordo (trato com, conforme a etimologia mesma aponta) entre duas ou mais pessoas que transferem entre si algum direito ou surgimento resultante de uma obrigação. Na área jurídica, contrato é efetivamente um negócio jurídico (espécie de ato jurídico) bilateral que tem por finalidade gerar obrigações entre as partes. É utilizado por pessoas físicas e jurídicas, reconhecidas institucionalmente, para regular uma relação de obrigatoriedade de direitos e deveres.

Aqui nos interessa o aclaramento do contrato conforme aparece na área psicológica, sobretudo na Gestalt-terapia, mesmo considerando que seja, nesse campo, uma derivação das noções já citadas. Assim, podemos entender que o contrato terapêutico é também "um acordo entre duas [terapeuta e cliente] ou mais pessoas [grupo, casal, família etc.], para a execução de alguma coisa [psicoterapia], sob determinadas condições [cláusulas do contrato]" (D'Acri, 2009, p. 43).

Segundo Lima Filho (1995, grifo do autor, p. 77), um contrato define-se como "um trato que se faz com, de onde se deduziria que cliente e psicoterapeuta estariam definindo *em comum acordo* as regras e responsabilidade recíprocas que irão reger seu trabalho". Nesse sentido, acredita-se que o aspecto diferencial entre contratos na abordagem gestáltica e nas demais é a ênfase no fazer com o cliente, "em comum acordo".

Verifica-se que sua intenção é regular os direitos e deveres de uma relação de trabalho – no caso, a psicoterapêutica.

No entanto, já é reconhecido pela prática terapêutica e confirmado pela literatura (Neubern, 2010) que, no caso do contrato em psicoterapia ou clínica de forma geral, não se trata apenas de regular a relação de trabalho. O contrato terapêutico tem duplo dimensionamento, atendendo ao mesmo tempo: 1) à necessidade de regulações objetivas do trabalho terapêutico, em que devem ser contempladas as necessidades do terapeuta; 2) às necessidades de engajamento tanto *de trabalho* quanto *emocional* do paciente. Dessa forma, *questões referentes à adesão e ao sucesso do tratamento dependem da habilidade no estabelecimento e no manejo do contrato por parte do psicoterapeuta*, especificamente por sua construção ser perpassada pela formulação do chamado vínculo – na linguagem gestáltica, contato ou *relação* entre terapeuta e cliente. Relação essa em que aspectos como acolhimento, pertinência das técnicas à problemática apresentada, respeito e consideração efetiva das demandas devem ser positivamente percebidos pelo paciente, sendo fundamentais para seu engajamento efetivo no processo terapêutico. Some-se a isso que, subjacentes às bases contratuais estabelecidas pelo terapeuta, estão a visão de homem e a de saúde psíquica que embasam sua conduta profissional, e ambas se diferenciam em cada uma das abordagens. Nesse sentido, os elementos contratuais, além de ter coerência interna, devem ser coerentes também com as concepções filosóficas e epistemológicas da abordagem psicoterápica em que estão insertos.

Essas considerações são suficientes para particularizar o contrato em psicoterapia, denominando-o então não apenas de contrato, na acepção comum do termo, mas de *contrato terapêutico*, conforme já amplamente examinado pela literatura psicológica. Tal particularidade se traduz sobretudo pela efetiva tensão, mencionada por Hycner (1995), entre a dimensão objetiva e subjetiva pertinente à psicoterapia.

Segundo esse autor, constitui-se como essência da prática psicoterapêutica a forte evocação de polaridades opostas, de maneira que muitas vezes se sente que irão dilacerar a sensibilidade do terapeuta, fazendo que o trabalho de psicoterapia constitua o terapeuta no *campo vivo de batalha* dos paradoxos inerentes à prática dessa profissão. Tais paradoxos, em que a tensão entre a dimensão objetiva e subjetiva *exige integração equilibrada por parte do psicoterapeuta*, fazem do contrato terapêutico outro elemento de integração paradoxal. Ele deve ter a objetividade pertinente ao método psicoterápico e ao treinamento do terapeuta, ao mesmo tempo que deve considerar as necessidades e ansiedades do humano, colocando o terapeuta como um "outro" que se posta diante do abismo desnudo da existência humana apresentada pelo paciente – que o remete, quer queira, quer não, quer identifique, quer não, ao abismo colossal de sua própria existência.

Esta é a missão do contrato terapêutico que o particulariza diante de todos os outros possíveis contratos celebrados pelo ser humano: deve integrar e manter a objetividade que justifica sua execução, ao mesmo tempo que considera todos os elementos subjetivos que também o justificam, permeiam e constituem, imiscuídos nas diversas necessidades e possibilidades de aceitação, confirmação, refutação e também sabotagem de sua própria celebração e do processo terapêutico intencionado. Diferentemente de outros contratos, fazem parte de sua constituição – explícita para o psicoterapeuta – todos os aspectos subjetivos que podem contribuir para seu sucesso ou insucesso, os quais devem ser considerados e integrados no processo terapêutico.

Assim, o contrato terapêutico revela a condição intersubjetiva do psiquismo em que a epistemologia do profissional de psicoterapia se sustenta e se equilibra.

ELEMENTOS NORTEADORES DO CONTRATO TERAPÊUTICO

Partindo da especificidade do contrato terapêutico, abordarei os *elementos norteadores da psicoterapia*, em referência ao que classicamente se chamou de *enquadre* ou *setting* terapêutico. Com efeito, aquilo a que se denomina *setting* ou *enquadre* dirá respeito às diversas dimensões da ação psicoterápica, as quais são explícitas e fundamentais para a efetivação da psicoterapia.

Faço aqui uma mudança na denominação por entender que há no termo "enquadre" um procedimento de conformidade de comportamento por parte do cliente, forçando-o a "enquadrar-se" passivamente em um modelo psicoterápico, como se não tivesse opção de questionar, solicitar esclarecimentos e mudanças, procedimento do qual a Gestalt-terapia não compartilha.

Por certo, elementos cruciais para o funcionamento da psicoterapia – como os papéis – não podem ser alterados, pois implicam a não efetivação do processo psicoterápico. Porém, tais elementos norteadores, se não se configuram como constitutivos, são fundamentais para que se efetive a psicoterapia. Tendo como função gerar a compreensão consciente do momento em que terapeuta e paciente decidem se e como ocorrerá o processo terapêutico, eles são apresentados ao cliente na forma de *contrato terapêutico*.

Aqui serão explanados os principais elementos do contrato, referentes à *dimensão temporal* (início e término, duração de cada encontro e do tratamento, periodicidade, interrupção e férias, bem como faltas e atrasos), à *dimensão espacial* (o local e suas características) e à *dimensão relacional* (sigilo, valor dos honorários, forma de pagamento e sua periodicidade, reajustes e funcionamento do processo terapêutico). A exposição dessas dimensões permite compreender a necessidade de celebração do contrato terapêutico e de seu sentido, assim como a necessidade de manejo dele ao longo da psicoterapia. Como já vimos (Neubern, 2010; Lima Filho, 1995), quando não há contrato ou quando este não é suficientemente esclarecido, surgem implicações negativas, como ausência de adesão e/ou abandono da psicoterapia e confusões sobre papéis e funções, além da dificuldade de utilizar manifestações sobre elementos contratuais para promover a ampliação da *awareness* do paciente.

Uma observação importante diz respeito ao fato de que, no momento de realização do contrato, este tem uma dimensão mais objetiva e norteadora da relação, devendo assim ser tratado – sobretudo no que se refere às necessidades do terapeuta de caracterizar o campo psicoterápico e suas condições de trabalho. No entanto, ao longo do processo terapêutico, a grande maioria das manifestações sobre o contrato – senão todas – estará carregada da dimensão relacional, ou seja, do padrão relacional do paciente e da forma como ele estabelece relação com o mundo e, em consequência, com o terapeuta, tornando então legítimas e particulares as ocorrências relativas a tempo e espaço. Dessa maneira, tais manifestações deverão ser entendidas de acordo tanto com a história de vida do

A clínica, a relação psicoterapêutica e o manejo em Gestalt-terapia

cliente quanto com a história ou o teor da relação cliente-terapeuta, colocando-se tais conexões à disposição do cliente quando de sua conveniência.

É claro que manifestações relacionais também acontecem no momento de estabelecer o contrato e podem se imiscuir na dimensão temporal ou espacial, como o sentimento, por parte do paciente, de que os valores cobrados pelo terapeuta são injustos ou deveriam ser modificados como uma forma de benevolência para consigo, mesmo tendo ele condições de arcar com os valores solicitados. Tais manifestações, à medida que possam ser expressas ou percebidas, devem ser checadas em sua dimensão relacional e também colocadas à disposição do paciente, mesmo que ocorram no momento de estabelecimento do contrato.

Outro aspecto a ser mencionado é que aqui estamos falando de pacientes organizados, sem transtornos mentais graves tais que necessitem de mediação institucional ou familiar. Se assim o fosse, o teor do contrato seria modificado substancialmente. Haveria, assim, duas fases distintas do processo: uma fase abrangendo as questões formais, com a família ou a instituição; e outra com o paciente, abarcando questões formais e relacionais.

Na *dimensão temporal* estão os elementos que dizem respeito ao tempo cronológico: início, duração e término do processo terapêutico e periodicidade e duração dos encontros, assim como as diversas formas de interrupção que podem ocorrer durante o tratamento.

Nunca é demais lembrar que o *ato humano contém a historicidade do agente* (Rehfeld, 1992). Assim, passado, presente e futuro (história) estão condensados em cada uma das relações estabelecidas: ser é relacionar-se, e quando há relação há tempo. Não o tempo cronológica e vulgarmente tomado, mas *como horizonte possível de toda e qualquer compreensão do ser* (Heidegger, 1993). Embora se constituam como efetivamente distintos os projetos filosóficos e psicológicos, inextricáveis, elegem a compreensão como ato fundamental do empreendimento psicoterápico.

Assim, em relação ao início do processo terapêutico, cabe perguntar quando ele começa e, portanto, quando deve ser celebrado o contrato terapêutico, visto que ele não pode ser firmado de maneira imediata, como se fosse um item automático ao surgimento do paciente. Ao contrário, demanda *condições suficientes* para sua ocorrência.

Como vimos no Capítulo 1, o exame do que o paciente busca quando procura a psicoterapia pode contribuir para esse entendimento, posto que para o paciente leigo em psicologia e psicoterapia a busca de ajuda pode ser apenas uma sondagem; derivar de problemas em determinada área de sua vida que o façam procurar orientação; advir de um momento de crise que demanda alguma forma de alívio (conselhos, orientações, remédios) para essa condição. Talvez o paciente conclua que precisa reestruturar aspectos relacionais de sua vida, ao que a psicoterapia atende como modo privilegiado de acesso a essa mudança.

Dado o desconhecimento da população sobre a atuação do psicólogo e suas especialidades, são menos frequentes as buscas devido à última condição mencionada, mas pode-se concluir que o paciente nem sempre tem certeza ou está decidido acerca do início do processo terapêutico – sobretudo se nunca se submeteu ao processo psicoterápico, desconhece o

A clínica, a relação psicoterapêutica e o manejo em Gestalt-terapia

funcionamento da psicoterapia e ignora a necessidade de seu empenho pessoal. Logo, a busca do processo não se constitui por parte do paciente no início do processo psicoterapêutico, podendo ter um caráter muito mais investigativo e de necessidade de alívio que de empenho em mudar.

Faz parte do trabalho do terapeuta distinguir nesse movimento aquilo que é passível de ser investigado e explicitado, além de estabelecer uma impressão diagnóstica sobre a exposição do paciente e de sua demanda, e sobre a concordância dele em iniciar a psicoterapia.

Dessa maneira, considero que o início do processo psicoterapêutico seja constituído por vários momentos a que não se pode submetê-lo rigidamente, mas passíveis de ser identificados:

- *Exposição e investigação* – implica exposição e conhecimento mútuos. O terapeuta se deixa sentir e ver pelo paciente, ao mesmo tempo que este sente, investiga e estabelece uma compreensão de sua queixa, culminando na compreensão diagnóstica. De forma mais criteriosa, o terapeuta verifica a viabilidade do processo terapêutico com base na qualidade do contato, ou seja, se este é suficientemente positivo para dar início a um processo terapêutico e se as demandas apresentadas pelo paciente inserem-se em sua competência clínica.

- *Exposição da compreensão psicodiagnóstica* – consiste na tradução para o paciente de sua condição em linguagem clara e acessível, de forma que ele perceba positivamente a existência de respeito e consideração efetiva acerca das suas demandas, ao mesmo tempo que o terapeuta solicita confirmação acerca da compreensão exposta.

- *Acordo terapêutico* – refere-se à declaração do terapeuta de sua intenção e possibilidade de ajudar o paciente, quando isso for efetivamente verdadeiro, com a indagação sobre o interesse do paciente no início ou na continuidade da psicoterapia. Havendo concordância, estão estabelecidas as condições para a celebração do contrato terapêutico.
- *Contrato terapêutico* – corresponde à fase final do início da psicoterapia e à inicial do processo psicoterápico. Formalmente anunciado e celebrado, o contrato permanece dependente do cumprimento das condições anteriores.

Segundo a visão gestáltica do processo terapêutico, como uma música que comporta diversos tons ou estilos, a ordem e a profundidade dessas fases podem variar, devendo ser notadas pelo psicoterapeuta, com o consequente registro de que o paciente: 1) sentiu-se considerado e respeitado; 2) entende que o terapeuta compreende sua queixa e sente-se em condições de ajudá-lo; 3) concorda e, com o terapeuta, quer a realização da psicoterapia.

Assim, respondendo à pergunta inicial acerca do momento de realização do contrato terapêutico, em geral é necessária mais de uma sessão de psicoterapia a fim de que esses elementos sejam claramente identificados pelo psicoterapeuta. A quantidade não é fixa, pois depende da vivência relativa ao contato com cada paciente, mas posso afirmar que a realização do contrato é posterior ao acordo terapêutico, em que se podem gastar até quatro sessões. Na minha experiência, contratos realizados na primeira sessão são prematuros e colocam em risco o início do processo terapêutico pelos seguintes

A clínica, a relação psicoterapêutica e o manejo em Gestalt-terapia

motivos: o paciente talvez ainda não tenha se decidido pelo início do processo; a primeira sessão pode não ter sido suficiente para que o paciente se sinta *incluído* e *confirmado* (Buber); a compreensão diagnóstica talvez ainda não tenha sido estabelecida pelo psicoterapeuta, está pouco clara ou necessita de melhor consideração; por motivos diversos, o terapeuta precisa de mais informações objetivas que não foram fornecidas na primeira sessão.

As sessões de psicoterapia duram em geral 50 minutos no caso de atendimento individual e 90 minutos no caso de atendimento a grupos, casais e famílias. Essa delimitação atende à necessidade profissional de estabelecer quantos pacientes o terapeuta pode atender em um turno de trabalho e à demarcação de intervalos regulares para atendimento a outras necessidades pessoais. Esse tempo é considerado suficiente para abordar determinado tema, examiná-lo de forma minuciosa e fazer correlações e intervenções técnicas possíveis e necessárias. Caso o terapeuta perceba que o paciente tem necessidade de diminuir ou estender o tempo, precisa analisar as dimensões objetivas disso e seus efeitos no processo terapêutico. Além da pertinência técnica, o tempo da psicoterapia deve fornecer condições de disponibilidade do psicoterapeuta, que delimitações longas ou superiores a 50 minutos podem não propiciar.

Cumpre lembrar que as atuações de Perls com grupos tinham caráter mais demonstrativo que de psicoterapia processual (não à toa se denominavam *workshops*). Além disso, o campo da psicoterapia estava ainda em construção. Hoje, a delimitação temporal do trabalho com grupos atende a critérios específicos (Kaplan e Sadock, 1996), relativos à heterogeneidade dos participantes, das psicopatologias e ao seu contexto de inserção. Porém, estando o psicoterapeuta ciente das diversas intercorrências relativas a esses aspectos, pode optar pelo encerramento antes do fim cronológico da sessão, desde que disposto a entrar no terreno pantanoso que isso pode ocasionar.

Da mesma forma, sessões predeterminadas com duração inferior a 50 minutos podem não permitir intervenções satisfatórias concernentes ao surgimento de um tema (*Gestalt*), a seu exame e possível ressignificação. Embora o tempo efetivo sempre seja o do vivido, a cronologia tem caráter organizador, de regulação da ansiedade e de acolhimento da angústia. A angústia não atende a relógios, mas saber que alguém disponibiliza um tempo em sua agenda para o acolhimento torna-se, por si mesmo, um alívio, até mesmo para aquelas angústias que a própria cronologia provoca.

Discutível – senão suspeita – é a prática instituída por planos de saúde que delimitam aprioristicamente o tempo da sessão psicoterápica em 20 a 30 minutos, tentando assim justificar: os baixíssimos valores pagos ao profissional conveniado; a necessidade de imposição de eficácia psicoterápica, impelindo os psicoterapeutas à adoção de abordagens e técnicas que aspiram a resultados no menor tempo possível; a necessidade de atendimento ao maior número possível de conveniados, desconsiderando a qualidade do serviço correlato; o mero atendimento às leis governamentais que os obrigam a custear serviços de saúde que não absolutamente médicos.

Quanto ao agendamento e à periodicidade das sessões, recomendo que sejam mantidos o mais estáveis possível, tanto em relação à fixação do horário quanto ao número de sessões semanais. A estabilidade atende a um caráter objetivo operacional – possibilitar aos pacientes organizar a agenda

A clínica, a relação psicoterapêutica e o manejo em Gestalt-terapia

inserindo o processo psicoterápico na rotina – e a um caráter intersubjetivo – fornecer ao paciente relativa certeza de acolhimento, de trabalho terapêutico e de organização emocional, confirmando a compreensão de um psiquismo que se realiza e se sustenta na relação com o mundo. A estabilidade de mundo e a psíquica não são meras dimensões didáticas, visto que nessa compreensão se constituem mutuamente e se retroalimentam, tornando-se assim indissociáveis.

Por certo, dependendo da necessidade, equacionada pela gravidade do caso, por fatores emergenciais tais como crises ou por outros acontecimentos importantes, a frequência das sessões (semanal) e sua duração (50 minutos) costumeiramente delimitada pode ser alterada para duas ou três vezes semanais ou até mesmo inicialmente estabelecida nessas condições, em que se pesem também fatores financeiros e de tempo, por parte do paciente.

De uma perspectiva menos cronológica e mais vivencial, diferentemente de encontros amorosos ou por amizade, a relação terapêutica é marcada pela finitude (Bucher, 1989, p. 155) – ou, numa paráfrase da existência humana, é uma relação que intenciona o fim como corolário de seu acontecimento. Não tem na morte o indicativo de sua interrupção, como poderia ser em relações de amizade ou amorosas, mas a constatação do bem-estar alcançado como indicativo da decisão de rompimento ou separação. Ou seja, é marcada pelo fim antecipado como prêmio relativo ao alcance dos objetivos inicialmente propostos, tema que será explanado em capítulo sobre términos e interrupções neste mesmo volume.

A liberdade para interromper a psicoterapia antes da consecução de seus objetivos *precisa ser contratualmente rea-*

firmada para o paciente como um elemento possível e real, a despeito da discordância ou concordância do terapeuta.

A *dimensão espacial* diz respeito ao local e a suas características, que devem ser relativamente estáveis ou fixas – as sessões ocorrem sempre no mesmo local geográfico e na mesma sala. Tal estabilidade é fundamentada numa função tanto operacional quanto psíquica. Também é importante informar o paciente, no momento da celebração do contrato, que o consultório é o local privilegiado para abordar quaisquer questões relativas ao processo terapêutico do paciente, ressaltando-se que outros espaços não são prioritários, salvo questões especiais, as quais precisam ainda ser consideradas quanto a seus efeitos na relação terapêutica e no processo terapêutico do paciente.

A *dimensão relacional* diz respeito a sigilo, valor dos honorários, forma de pagamento e sua periodicidade, reajustes, não comparecimento às sessões e atrasos, bem como ao funcionamento propriamente dito do processo terapêutico.

A Gestalt-terapia é uma abordagem que tem no contato um de seus principais conceitos; na *relação dialógica buberiana* a tradução dessa noção e sua operacionalização para o processo terapêutico; na fenomenologia e no existencialismo a fundamentação da noção dialógica, de homem e de mundo (Karwowski, 2005). Dessa maneira, instaura a troca, a interdependência e o *entre* como elementos primordiais para o desdobramento da psicoterapia. Sendo o contrato também uma forma de relação, um tipo de contato, manifestações de ajustamento funcionais e disfuncionais estão presentes na celebração deste (Rosa, 2008), sendo possível verificar a predominância das formas de contato: confluência, introjeção, pro-

A clínica, a relação psicoterapêutica e o manejo em Gestalt-terapia

jeção, retroflexão, deflexão e egotismo. A verificação de tais elementos procede à necessidade de checar até que ponto eles contribuem para um contato de qualidade ou aparecem como formas de evitação deste. No segundo caso, o apontamento desse procedimento é facultado ao psicoterapeuta, e o uso de elementos do contrato como forma de minimizar a ansiedade é bem-vindo.

Também no contrato terapêutico deve ser assegurado ao paciente o sigilo profissional que resguarda a si e ao seu processo terapêutico contra qualquer tipo de exposição, seja ela a familiares, interessados ou não no bem-estar do paciente (pais, irmãos, cônjuges e outros) ou a instituições. Garante-se ainda que as informações obtidas não sejam utilizadas em pesquisas e estudos teóricos. Nesses casos, o uso das informações deve ser expressamente consentido pelo paciente por meio de autorizações escritas. Nos casos em que o paciente corre algum tipo de risco grave, faz-se necessário contato com os familiares e/ou responsáveis, e também nessa situação, sempre que possível, o paciente deve dar seu consentimento.

Além do sigilo e entre os elementos relacionais mencionados estão os honorários, item que inclui o valor de cada sessão, a periodicidade do pagamento (se antes ou depois de cada sessão; se quinzenal ou mensal) e se ele será realizado diretamente ao profissional ou à secretária, quando houver.

Esse item do contrato terapêutico parece gerar angústia sobretudo no terapeuta iniciante, levando a uma série de dificuldades – tanto no estabelecimento dos valores como na abordagem referente a valores não pagos ou "esquecidos", a seus reajustes ou quaisquer outras manifestações que lhe sejam concernentes. Na maioria das vezes, a insegurança do terapeuta em estabelecer e/ou abordar questões relativas a honorários está ligada ao entendimento de sua atividade como psicoterapeuta, à forma como valoriza e entende que será valorizado pelo outro, além da própria noção de merecimento em função do trabalho realizado.

É importante ressaltar que a psicoterapia é e precisa ser entendida como profissão, mesmo que não conste da relação de profissões brasileiras. Isso significa que o terapeuta deve intencionar viver dessa profissão e também realizar-se, tanto vocacional como economicamente. Como em qualquer outra profissão liberal, o valor dos serviços oferecidos em psicoterapia precisa ser acordado entre terapeuta e paciente, sendo função do profissional deliberar o valor que quer receber por seu tempo de trabalho e sua flexibilidade para o fornecimento de desconto ou de negociação, quando for esse o caso.

É importante que o terapeuta tenha bem estabelecidos para si próprio o valor que considera adequado ao seu trabalho e a margem de negociação com o cliente, ou seja, se fará ou não um desconto ou procederá à negociação de valores. Deve também saber que fornecer desconto significa diminuir uma quantia do montante, a fim de oferecer alguma facilidade ao paciente. Por outro lado, o termo "negociar", comumente utilizado como sinônimo de desconto em psicoterapia, implica um tipo de relação na qual tanto paciente como terapeuta têm perdas e ganhos, de forma que se chegue a uma condição em que ambos perderam um pouco para que ambos possam também ganhar juntos. É fundamental também considerar os efeitos dessa prática no processo terapêutico.

Evidentemente, a negociação tem implicações na relação terapêutica. Nela, nunca é demais lembrar, o dinheiro tem

A clínica, a relação psicoterapêutica e o manejo em Gestalt-terapia

valor simbólico e representa, ao mesmo tempo: a forma de retribuição do paciente para com o serviço prestado pelo terapeuta; a necessidade de obtenção de ganhos por parte deste; a forma como o paciente estabelece suas trocas, se relaciona com o poder; a valorização efetiva de si mesmo e do processo terapêutico.

Assim, descontos, negociações, ausência de pagamentos e outras intercorrências econômicas precisam ser confrontados com a simbologia do dinheiro e traduzidos para o paciente quando as condições técnicas assim o permitirem.

Quanto às formas de pagamento, variam de terapeuta para terapeuta. As mais conhecidas são as que acordam o pagamento em dinheiro ou cheque; há também os que optam por pagamento com boleto bancário. O recebimento após cada sessão, seja em espécie seja em cheque, permite ao profissional equacionar melhor o pagamento de seus compromissos e seu faturamento, ao passo que a opção pelo boleto bancário implica a possibilidade de aplicação de multa e cobrança de juros, entendendo que esses procedimentos possam objetivamente desencorajar os atrasos ou a ausência de pagamento. No entanto, o problema não é constatado de imediato, o que pode prejudicar a compreensão do paciente sobre as já mencionadas questões simbólicas ligadas ao dinheiro.

Embora se possa afirmar que o pagamento não realizado diretamente ao profissional implique dificuldades – não por parte do paciente, mas do psicoterapeuta – de lidar com a dimensão representativa do dinheiro, revelando assim aspectos neuróticos seus (Lima Filho, 1995), entendo que tal fato em muitas circunstâncias seja verdadeiro, mas chamo a atenção para que não seja rigidamente compreendido, sob o prejuízo de ferir a flexibilidade característica da Gestalt-terapia. O acompanhamento cuidadoso dos pagamentos por parte do terapeuta, sua confrontação com a dinâmica relacional do paciente e a opção pela abordagem dessas questões constituem também tarefa do psicoterapeuta.

Se o processo terapêutico não for de *curta duração* (Ribeiro, 1999; Pinto, 2009), ou seja, se não estiver inserto em uma modalidade de atendimento terapêutico que restrinja o tempo de duração da psicoterapia, pode perpassar um período de tempo superior a um ano ou atingir períodos coincidentes com o de férias tanto do terapeuta quanto do paciente.

No caso de coincidência de férias, ambos acordam um breve período de interrupção do processo, raramente superior a 30 dias. Períodos superiores a esse deverão ter preparação minuciosa antes da interrupção, pois seus efeitos no processo terapêutico serão significativos, devendo sua possibilidade ser sempre mencionada no momento do contrato.

É importante para o psicoterapeuta adotar um índice de reajuste realista e comunicá-lo ao paciente no ato do contrato terapêutico, a fim de evitar surpresas ou insatisfações quando se fizerem necessários. Em geral, o reajuste é vinculado ao Índice Nacional de Preços ao Consumidor (INPC), à variação inflacionária ou a outro índice semelhante e não abusivo.

Em relação às faltas ocorridas dentro do processo terapêutico, farei a seguir uma consideração mais detalhada pelo fato de elas terem efeitos relacionais, temporais e econômicos.

Raramente antes do estabelecimento do contrato terapêutico o paciente tem consciência da psicoterapia como um processo global, com elementos inter-relacionados. Assim, pode entender que: a) se não esteve presente, não utilizou o

A clínica, a relação psicoterapêutica e o manejo em Gestalt-terapia

serviço de psicoterapia e, portanto, não precisa pagar pela sessão; b) e dessa maneira pode faltar pelo menos uma vez por mês, manipulando assim o preço cobrado pelo terapeuta, pois estaria sempre pagando menos; c) pode avisar com antecedência, e então se desobriga economicamente; d) se houve motivo justo para faltar, também não precisa pagar, afinal a ausência não foi voluntária, mas por elementos alheios à sua vontade.

Em minha prática clínica, no momento do contrato terapêutico e na referência às faltas, deixo claro para o paciente que o não comparecimento, por qualquer motivo alegado, é considerado falta e deverá ser pago. Esse procedimento está alicerçado no fato de que a simbologia econômica diz respeito ao reconhecimento do processo psicoterápico, bem como à sua valorização e ao comprometimento com ele, além do reconhecimento das necessidades do psicoterapeuta de manter sua atividade e honrar seus compromissos financeiros.

Faltas que não são cobradas pelo terapeuta podem, eventualmente, implicar o descompromisso do paciente com a psicoterapia. Este pode achar que se trata de um processo pontual, ignorando seu caráter amplo. Além disso, a dificuldade de definir o que sejam "motivos justos" para a falta é outro problema.

É importante distinguir sessão desmarcada de falta à sessão. Considero falta qualquer não comparecimento que não seja avisado ou seja avisado com pouca antecedência. A desmarcação ocorre quando o paciente avisa sobre seu não comparecimento, devendo ser estabelecidos critérios para esse procedimento – por exemplo, comunicação com pelo menos cinco horas de antecedência (D'Acri, 2009). Nessas situações, pode-se disponibilizar outro horário para o cliente, ressaltando-se que tal procedimento apenas será adotado se for possível dentro da agenda do terapeuta. Caso não seja viável no período de 15 dias seguintes à desmarcação, ela será configurada como falta e não será reposta. Em minha prática, o pagamento da sessão não fica condicionado à reposição: deve ser feito na sessão regular seguinte, caso ela ocorra depois da data de reposição prevista, ou no momento da reposição, caso seja antes da sessão regular.

Se houver atrasos no início da sessão – que com certeza acontecerão –, em geral se procede assim: se forem significativos, os atrasos do terapeuta são repostos e, se necessário, computados para uma sessão extra, a fim de não ferir o horário do paciente seguinte. Os atrasos do paciente normalmente não são repostos, mesmo com aviso, visto que o terapeuta estava à sua disposição sem ocupar o horário. É sempre bom lembrar que o paciente paga ao terapeuta por seu tempo, não pelo seu serviço ou por qualquer tipo de atividade que se imagine pertinente à psicoterapia. Por seu caráter único, a psicoterapia foge à precificação dos benefícios pretendidos ou obtidos. Ainda assim, é muito importante lembrar a flexibilização do terapeuta em às vezes estender um pouco mais seu tempo quando o paciente se atrasa inintencionalmente e quando há disponibilidade horária de sua parte para tanto.

Outra questão aludida no contrato diz respeito aos papéis no processo psicoterápico. Frequentemente abordada como *assimetria terapêutica* (Bucher, 1989), trata-se da diferença, condição imprescindível para o contato. Em Gestalt-terapia, a *essência da relação é a separação* (Rehfeld, 1992). Ou seja, é condição para um contato efetivo, legítimo e preg-

A clínica, a relação psicoterapêutica e o manejo em Gestalt-terapia

nante que cada um dos envolvidos na relação saiba quem é individualmente e como se faz a partir dessa e nessa relação em curso. A consciência da separação se dá pela consciência da diferença: a diferença de quem busca ajuda e de quem vai ajudar; da prioridade da exposição no encontro; da apropriação e do uso de técnicas e saberes; da permissão para a intervenção e de quem intervém. É papel do terapeuta (Fagan e Shepherd, 1973) a intervenção, a condução do processo, a espera paciente e firme pela exposição do paciente e de seu mundo, a *aceitação* de uma autorização para mudanças que o paciente atribui ao terapeuta, com a sistemática *devolução gentil* dessa autoridade ao paciente. Embora se possam considerar esses aspectos óbvios, eles precisam ser abordados no contrato a fim de delimitar a diferença e, já em si mesmos, como intervenção terapêutica.

Caso não se consiga a constatação dessa diferença, mencionada no contrato terapêutico e reafirmada vivencialmente durante a psicoterapia, paciente e terapeuta se perderão numa relação confluente, talvez prazerosa, talvez não, mas que escapará aos propósitos psicoterápicos, assemelhando-se a relações do lugar comum, em que o compromisso de ajuda e mudança não será considerado.

Uma última consideração faz-se importante no que se refere à validade legal do contrato psicoterápico, visto ser ele realizado de forma verbal. A esse respeito, D'Acri (2009) apresenta o contrato terapêutico como um mecanismo de autorregulação do psicoterapeuta, ou seja, que deve atender a suas necessidades. Assim, em função de sua história de vida, e da solicitação de determinado paciente, essa autora passa a fazer o contrato escrito, que é lido e assinado por ambos.

Tradicionalmente em psicoterapia os contratos são verbais e não escritos, embora não haja impeditivos para sua realização formal. Alguns psicoterapeutas que trabalham com crianças têm o costume de assiná-lo com os pais, a fim de que eles tenham maior ciência da estrutura do processo terapêutico (Aguiar, 2014). Porém, muitos profissionais ficam em dúvida e podem até sentir-se inseguros, diante de pacientes com formação em Direito, sobre o valor jurídico do contrato terapêutico. A esse respeito nos esclarece Ramos (2010):

> O Código Civil prevê no art. 107 que a validade da declaração de vontade não dependerá de forma especial, exceto quando a uma Lei exigir. Portanto, é livre a forma [com] que se faz um negócio jurídico, entre os quais o contrato verbal em sua essência, que poderá ser demonstrado pelo simples aceite ou manifestação da vontade das partes. O contrato escrito (formalismo) busca trazer segurança às partes para a conclusão e efetiva garantia do negócio jurídico. Assim, o contrato verbal é válido desde que seja lícito e não contrarie disposição legal, devendo atender à vontade das partes de igual modo, podendo se provar por testemunhas, documentos, coisas e outros meios periciais.

A seriedade do contrato não é conferida pelo fato de ser formal ou verbal, mas por ser conjuntamente aceito e adotado de forma livre e igualitária, sem que nenhuma das partes sinta-se ludibriada ou obrigada. Manifestações relacionais sobre o contrato terapêutico acontecerão independentemente de ele ter sido formal ou verbal, e devem ser expostas ao paciente como elemento esclarecedor sobre seu funcionamento e como promotor de *awareness*.

A clínica, a relação psicoterapêutica e o manejo em Gestalt-terapia

Considero que contestações ou manifestações negativas sobre a não formalidade do contrato terapêutico precisam ser compreendidas à luz da história do paciente, de seu comprometimento mental e da relação que estabelece com o psicoterapeuta, a fim de que seu sentido seja esclarecido e inseguranças ou ausência de confiança, checadas. Talvez sua ocorrência indique a necessidade de exame mais aprofundado da qualidade do contato e de sua suficiência para início do trabalho psicoterápico.

REFERÊNCIAS BIBLIOGRÁFICAS

AGUIAR, L. *Gestalt-terapia com crianças – Teoria e prática*. São Paulo: Summus, 2014.

BUCHER, R. *A psicoterapia pela fala: fundamentos, princípios, questionamentos*. São Paulo: EPU, 1989.

D'ACRI, G. "Reflexões sobre o contrato terapêutico como instrumento de autorregulação do terapeuta". *Revista da Abordagem Gestáltica*, Goiânia, v. 15 n. 1, jun. 2009.

FAGAN, J.; SHEPHERD, L. *Gestalt-terapia – Teoria, técnicas e aplicações*. Rio de Janeiro: Zahar, 1973.

HEIDEGGER, M. *Ser e tempo*. 4. ed. Petrópolis: Vozes, 1993.

HYCNER, R. *De pessoa a pessoa: psicoterapia dialógica*. São Paulo: Summus, 1995.

KAPLAN, H. I.; SADOCK, B. J. *et al. Compêndio de psicoterapia de grupo*. Porto Alegre: Artes Médicas, 1996.

KARWOWSKI, S. L. *Gestalt-terapia e fenomenologia*. Campinas: Livro Pleno, 2005.

LEVISKY, R. B.; SILVA, M. C. R. "A invasão das novas formas de comunicação no setting terapêutico". *Vínculo – Revista do Nesme*, v. 1, n. 7, 2010, p. 1-81.

LIMA FILHO, A. P. "O contrato terapêutico". *Revista de Gestalt*, São Paulo, v. 4, 1995, p. 75-86.

MÜLLER-GRANZOTTO, M. J.; MÜLLER-GRANZOTTO, R. L. *Fenomenologia e Gestalt--terapia*. São Paulo: Summus, 2007.

NEUBERN, M. S. "O terapeuta e o contrato terapêutico: em busca de possibilidades". *Estudos e Pesquisas em Psicologia*, Rio de Janeiro, ano 10, n. 3, 2010, p. 882-97.

PINTO, E. B. *Psicoterapia de curta duração na abordagem gestáltica – Elementos para a prática clínica*. São Paulo: Summus, 2009.

RAMOS, E. "O contrato verbal e sua validade". 2010. Disponível em: <http://www.oliveiraesilvaadvogados.com.br/o-contrato-verbal-e-sua-validade.html>. Acesso em: 2 dez. 2014.

REHFELD, A. Frases pronunciadas em aulas do Curso de Especialização em Gestalt--terapia do Instituto Sedes Sapientiae, São Paulo, 1992.

RIBEIRO, J. P. *Gestalt-terapia de curta duração*. São Paulo: Summus, 1999.

ROSA, L. *Cont(r)ato terapêutico na clínica gestáltica*. Monografia de conclusão de curso apresentada à Comunidade Gestáltica – Centro de Desenvolvimento, Especialização e Aperfeiçoamento em Gestalt-terapia. Florianópolis (SC), 2008.

3
Relação, atitude e dimensão ética do encontro terapêutico na clínica gestáltica

BEATRIZ HELENA PARANHOS CARDELLA

O MUNDO CONTEMPORÂNEO E O FURTO DO MISTÉRIO

O objetivo deste capítulo é assinalar a importância de uma clínica que ofereça hospitalidade à dimensão do Mistério que constitui o homem, importante atitude e tarefa ética no mundo contemporâneo. O Mistério refere-se ao que escapa à tentativa de domínio pelo conhecimento, ou seja, põe em questão a racionalidade.

Safra (2006, p. 206) considera que "o mistério sempre envolverá o homem, portanto, o trabalho do psicoterapeuta. Estar diante de um ser inacabado, aberto ao outro, impossível de ser apreendido, envolto em mistério é deparar com a dimensão transcendente do homem".

Os fenômenos relativos a essa dimensão têm sido "esquecidos" pela psicologia e pela ciência, configurando-se, na atualidade, no "grande outro", já que as coloca em questão e as convoca a estudos que revelem e acolham facetas da condição humana sempre complexa e inapreensível.

É imprescindível que a clínica contemporânea possa acolher os fenômenos relacionados à dimensão transcendente que se manifestam nas experiências dos pacientes para fazer face às suas necessidades fundamentais e compreender seu modo singular de ser: suas formas de sofrimento, de adoecimento, seus recursos e suas potencialidades.

Assim, abordarei a religiosidade, as experiências do sagrado, a espiritualidade, a religião e os fenômenos místicos, modos de abertura ao mistério, ofertando aos psicoterapeutas referências que os auxiliem a reconhecê-los, favorecendo o acolhimento, a compreensão, o crescimento e a possibilidade do encontro com seus pacientes.

O acolhimento do paciente como *totalidade* que não pode ser capturada é atitude ética fundamental e possibilidade de encontro na relação terapêutica.

Autores estudiosos da contemporaneidade consideram que vivemos uma época caracterizada pelo *furto do Mistério*, de redução do homem à condição de *coisa* pelos excessos de nomeação, de conceituação e pela tecnologização da vida humana. O furto do Mistério implica a dessacralização da experiência humana, e considero que as falhas éticas surgem quando se reduz tal experiência à esfera daquilo que se chama de relação Eu-Isso.

Martin Buber (1979) concebe duas atitudes básicas do homem em sua existência: a atitude *Eu-Tu* e a atitude *Eu--Isso*. A palavra-princípio *Eu-Tu* só pode ser proferida pela pessoa em sua totalidade, é dimensão dialógica, fundamentando o mundo das relações, do *entre*; já a palavra-princípio *Eu-Isso* se refere ao mundo como experiência, é dimensão monológica e objetificante.

Para o autor, o homem não pode viver sem o *Isso*, mas aquele que vive somente com o *Isso* não é homem. Assim, a atitude *Eu-Tu* contempla a *alteridade*, transcende a individualidade, aponta para o *mais além*, enquanto na atitude *Eu-Isso* o outro é considerado um *meio* e não um *fim* em si mesmo.

Transcender a atitude *Eu-Isso* é o que possibilita o *diálogo*, é o que nos permite adentrar a esfera do *entre*, à dimensão da transcendência, inclusive a abertura ao *Tu-Eterno* (o Totalmente Outro). Na visão de Buber, a disponibilidade para o Encontro *Eu-Tu* torna o ser humano capaz de reverenciar a existência, portanto de integrar o sagrado e o profano.

Na clínica gestáltica, é importante que a relação terapêutica se configure em *morada*, que haja *hospitalidade* para que o paciente alcance abertura e sustentação na instabilidade e na precariedade da condição humana, e restaure ou inaugure a condição de peregrino e caminhante, engajado na incessante obra de ser si mesmo, cocriando o mundo e o próprio destino.

A morada será hospitaleira na medida da capacidade do terapeuta de acolher e honrar o mistério, o que escapa à racionalidade, presente no outro, no si mesmo, no encontro e no ofício, ou seja, a dimensão transcendente da própria relação terapêutica.

Perls (1979) peregrinou em busca de um *lar espiritual*, como ele mesmo dizia; viajou o mundo em busca de caminhos e práticas espirituais, e sabemos quanto sua obra (a Gestalt-terapia e sua antropologia, teoria, metodologia, modalidades de cuidado e intervenções terapêuticas) foi influenciada tanto pela tradição judaica como pelo pensamento oriental, especialmente o zen, o budismo e o taoismo.

Apesar de seus questionamentos, dúvidas, embates, e de declarar-se ateu em diversos momentos, no fim da vida Perls

(1979) se autodenominava zen-judeu, apropriando-se de modo pessoal de sua teleologia e teologia, vivendo sua espiritualidade de modo *singular*; concebia o *absoluto impessoal* e vivia por princípios éticos que orientavam e inspiravam seu percurso e revelavam seu modo de ser e sua espiritualidade: *consciência, autenticidade, criatividade, responsabilidade, confiança, integração, crescimento, comunidade*. Tais princípios configuravam-se *sentidos últimos*.

Observamos, então, que a antropologia de Perls considera o homem transcendência, pois é ser aberto para dentro, para fora e para além de si mesmo (ser de fronteiras), em permanente processo de crescimento que é transformação contínua e confronto com a alteridade, inclusive a *Alteridade Radical*, ou o *Totalmente Outro*.

Alteridade Radical refere-se às experiências de encontro com o *Real*, ou seja, quando a pessoa se vê diante de algo irrepresentável, que aparece como *visita* do bem, do amor, da verdade, da beleza etc. (Safra, 2006).

Perls (1979) comunica experiências de encontro com a Alteridade Radical em passagens de sua biografia. Buscando o diálogo com tradições espirituais, ele almejava uma perspectiva integrativa e integradora do homem, criticando veementemente as dicotomias; compreender um autor e sua abordagem implica também reconhecer a antropologia e a cosmovisão subjacentes à sua obra.

Em tempos nos quais a subjetividade humana tenta tudo dominar, a perspectiva antropológica de reverência ao mistério e à sacralidade da existência tem sido um horizonte para transcender a crise civilizacional que atravessamos.

Um dos fenômenos observados no mundo contemporâneo é a dessacralização da vida e da condição humana. Ela

A clínica, a relação psicoterapêutica e o manejo em Gestalt-terapia

está presente em diversas formas de descuido infelizmente comuns nos dias de hoje: na devastação da natureza, na coisificação do corpo, na banalização da sexualidade, na superficialidade das relações, nos fundamentalismos, no consumismo, na tecnologização, nas idolatrias, entre outras.

Para Crema (2002), a maior descoberta do século XXI será o *ser humano*, já que o perdemos de vista, mas para esse autor algo pode nascer do que ele considera um *desabamento,* o sofrimento de não nos reconhecermos humanos: a ampliação da consciência humana e a recordação de seus fundamentos, entre eles a transcendência que nos constitui.

John Welwood (2003), um dos principais estudiosos da interface entre psicologia e espiritualidade, alerta para o fato de que não se devem psicologizar as tradições espirituais nem espiritualizar a psicologia: os trabalhos espiritual e psicológico são domínios distintos com propósitos diferentes. Porém, é fundamental um relacionamento entre ambos numa perspectiva antropológica que conceba o homem como *totalidade.*

Para o autor, o trabalho psicológico pode conduzir a pessoa a compreensões espirituais; já o trabalho espiritual leva a pessoa necessariamente a rever padrões de condicionamento e sofrimento.

Para Ancona Lopez (*apud* Massimi e Mahfoud, 1999, p. 86), "por mais que conheçamos a psicologia do homem, sempre sobra uma pergunta não respondida. É assim que a aura de mistério envolve todo o trabalho do psicólogo clínico".

Assim, nem tudo pode ser reduzido ao psicológico, e essa compreensão é fundamental na clínica contemporânea, pois implicará a hospitalidade do terapeuta, ou seja, sua atitude básica, da qual decorrerão as modalidades de cuidado que precisam estar sintonizadas com as necessidades do homem na atualidade.

Do modo como o mundo contemporâneo encontra-se organizado, caminhamos, infelizmente a passos largos, para o homem *sem* alteridade e carente de transcendência. É o homem desenraizado da condição humana: padronizado, robotizado, ensimesmado, mundanizado, materializado, coisificado e dessacralizado. "Cadáveres vivos" e "robôs de plástico", como já apontava Perls (1979) na década de 1960.

É o homem reduzido à dimensão horizontal, esquecido de sua verticalidade, do movimento de sua consciência em direção ao infinito, da abertura para o *mais além*. Constatamos na clínica formas de sofrimento e de adoecimento que denunciam a crise da contemporaneidade: desenraizamentos; solidão profunda e sentimento de vazio; ausência de significado e de sentido; redução ao mundano; fundamentalismos; idolatrias; perda do sentido do sagrado; materialismo; consumismo; padronizações; robotizações; claustrofobia no cotidiano; normoses; tédio etc.

Diante da crise civilizacional que atravessamos, a Gestalt-terapia pode ofertar contribuições fundamentais, pois é uma abordagem que se constituiu como forma de resistência ao achatamento do humano, sendo a antropologia que a fundamenta uma *antropologia da esperança*: o homem é transformação permanente em direção ao *mais além* (Delacroix, 2008). Ribeiro (2011, p. 112) enfatiza que:

A pessoa humana é uma manifestação, é uma explicitação do mistério e da força do mundo presentes nele e, ao mesmo tempo em que estar incluído no mundo limita sua liberdade, torna-o partíci-

A clínica, a relação psicoterapêutica e o manejo em Gestalt-terapia

pe dessa força gigantesca que movimenta o Universo, fazendo a liberdade humana, ainda que limitada, infinitamente grande, como uma potencialidade eternamente disponível para entrar em ação.

Nas décadas de 1950, 60 e 70, Perls e os demais fundadores e propagadores da Gestalt-terapia denunciavam a perda do humano e desenvolveram uma abordagem que busca restaurar seus *fundamentos*, entre eles a criatividade, a responsabilidade, a liberdade, a alteridade, a interdependência, a transcendência. Para a Gestalt-terapia, o homem é ser relacional, paradoxal, criativo e de passagem, pois está sempre para além de si mesmo e do outro; embora consciente da finitude, anseia por e concebe o infinito, interrogando sua existência, sua origem, seu fim: é ser *aberto*.

A RELIGIOSIDADE E AS CONCEPÇÕES DO ABSOLUTO OU DO DIVINO

A religiosidade é constituída de forma singular, com base nas concepções do absoluto ou do divino, das experiências do sagrado e das experiências de *self* (Safra, 2006); assim, está em constante transformação.

Para os estudiosos do tema, o que distingue a religiosidade da espiritualidade é a forma de construir o sentido.

Enquanto na espiritualidade o sentido é construído sem ligação com um ser superior, denomina-se de religiosidade o movimento de construção do sentido por meio de uma concepção do divino: é "a espiritualidade que ocorre em meio às concepções sobre o divino" (Safra *apud* Amatuzzi, 2005, p. 210).

A religiosidade é, assim, a experiência individualizada de relação com um ser transcendente, o que a difere, por sua vez, da religião, como veremos adiante. Constitui um dos elementos organizadores e estruturantes do psiquismo e pode se transformar em horizonte de vida ao longo do processo de crescimento (Safra, 2006).

A religiosidade não implica escolhas, decisões, crenças ou valores; é parte da singularidade da pessoa e se refere a uma relação com aquilo que ela formulou como sagrado ou divino a partir de seus encontros e experiências ao longo da vida.

O ser humano concebe o divino como realização de tudo que é, já que se reconhece precário e finito, vivendo o morrer a cada instante. Conceber o divino é inerente à condição humana (Safra, 2006).

O homem é ser aberto ao outro, portanto ser de transcendência. Não possui o ser, mas o recebe como doação. Se o possuísse, tudo seria *atualidade*, não haveria *potencialidade* e sombra, não haveria *devir*.

Safra (2006) enfatiza que, embora concepções onipotentes possam fazer parte de mecanismos defensivos, é próprio do homem conceber um ente com plena atualidade e potencialidade, sem devir, eterno, sem passado nem futuro. Essas concepções podem ser destinadas a organizações defensivas, ilusões ou projetos de vida. Mesmo nas idealizações, há elementos da singularidade da pessoa, sonhos de futuro que podem vir a ser colocados sob o domínio de sua criatividade.

A concepção imagética de um ser atualizado plenamente é parte do sonho último, da utopia pessoal, a concepção do sentido último da existência de uma pessoa. Segundo o autor, a utopia, além de revelar a singularidade, se configura em concepção pessoal do absoluto ou de um ente divino.

Ao acompanhar os pacientes na clínica, é possível observar, por meio de suas metáforas, de seus sonhos e de suas fantasias, como concebem seu fim último, seu deus e sua esperança, constituída por suas concepções teleológicas que podem ser também teológicas.

A concepção utópica pode ter destinos diferenciados, embora a concepção de absoluto ou do divino dê sentido às ações que a pessoa realiza no seu percurso de vida e lhe confira esperança.

Há diferentes concepções do absoluto e do divino, cujo reconhecimento por parte do clínico é fundamental para compreender seus pacientes, acolhendo-os em sua singularidade (Safra, 2006):

- O *absoluto impessoal* – não há imagem do divino, mas um princípio que é expressão do absoluto, como solidariedade, verdade, cuidado, justiça etc.; são princípios éticos que se constituem como sentido último. Tal concepção do absoluto se aproxima da perspectiva budista.
- O *absoluto pessoal* – há uma concepção de divindade como *pessoa*; três modalidades dessa concepção se apresentam: a) como *Deus transcendente*: está para além do homem e não pode ser representado. Encontramos essa modalidade no judaísmo e no islamismo; b) como *Deus transcendente-imanente*: concepção paradoxal, segundo a qual a divindade encarna-se na forma humana. Essa modalidade aparece no cristianismo e em algumas formas do hinduísmo; c) como *Deus imanente*: o divino

equivale ao mundo natural. Essa perspectiva é encontrada nas diversas formas de xamanismo.

* O *mundano absoluto* – o absoluto é concebido como elementos do mundo: dinheiro, sucesso, poder, fama, ideologias. Vemos essa perspectiva nos totalitarismos.

Segundo Safra, estudioso da clínica contemporânea, muitas vezes as concepções teológicas e teleológicas de uma pessoa coincidem ou não com sua *religião*, podendo inclusive haver dissonâncias entre as concepções pessoais do absoluto e as existentes na religião que professa. Integrar tais concepções é fundamental ao longo do percurso de vida da pessoa.

Como já vimos, a utopia pessoal orienta as ações cotidianas e coloca a existência como *fluxo*; ao manter-se em devir, e sendo capaz de integrar sua utopia, sua concepção do absoluto ou do divino, a pessoa constitui sua *espiritualidade*, como veremos adiante (Safra, 2006).

AS EXPERIÊNCIAS DO SAGRADO

As imagens e concepções do divino que se presentificam no psiquismo são acontecimentos que organizam a religiosidade de alguém, estando no campo das *representações*.

Quando fazemos referência às experiências do sagrado, adentramos o *não representacional*, o campo do que não pode ser representado por imagens, símbolos ou palavras. O sagrado acontece como *experiência*. Sua característica fundamental é o atravessamento da subjetividade que promove uma transformação profunda.

Embora busquemos significações (sempre precárias) para os encontros com o sagrado, tais experiências se configuram como *indizíveis*, pois rompem a racionalidade.

Apesar de a experiência do sagrado dar-se no cotidiano, portanto no *tempo* (Cronos), ela rompe o cotidiano e acontece como *não tempo* (Kairós). Assim, põe em questão a subjetividade, o tempo e o cotidiano. Acontece como *visitação* do Absolutamente Outro, da Alteridade Radical.

Na concepção de Buber (1979), não há dicotomia *sagrado-profano*; ambas as dimensões constituem a totalidade do ser humano. O profano é o ainda não reverenciado, é o estágio de preparação do sagrado.

Em sua autobiografia, Perls (1979, p. 131, grifos do autor) faz referência à experiência do sagrado ao caminhar certo dia pelas ruas de Miami:

> Senti meu lado direito comprimido e quase paralisado. Comecei a mancar, meu rosto ficou mole, senti-me como um idiota, meu intelecto ficou entorpecido e parou totalmente de funcionar. Como um raio, o mundo entrou em existência, tridimensional, cheio de cor e vida [...], mas com uma completa sensação de: "É isso aí, *isso é real*!"
>
> Foi um despertar completo, uma tomada de sentimentos, ou os sentidos vindo a mim, ou meus sentidos tomando sentido. [...] senti uma transformação tomando conta de mim.

Para Durkheim os momentos privilegiados ou estrelados de nossa existência apontam para o sagrado; são experiências de profunda transformação, que fazem a pessoa ver o mundo de uma nova perspectiva.

Otto (1992) considera que a experiência do sagrado é a vivência de uma realidade outra que tem como elementos o absolutamente irracional, o misterioso e o fascinante, o incompreensível do ponto de vista conceitual, o tremendo, o enérgico.

São características das experiências do sagrado seu caráter de mistério, de imponderável, de deslumbramento, ou até mesmo de terror. É uma experiência que surge antes que a pessoa tenha qualquer representação ou concepção sobre o divino. Assim, o sagrado é uma atitude de reverência, de veneração, de respeito diante do *numinoso* (Boff *apud* Leloup e Boff, 2002).

As experiências do sagrado "partem" o ego e, em meio ao cotidiano, revelam paradoxalmente o imponderável, o inominável, o sublime, o inefável, o terrível, o incomensurável, o incompreensível, o inexplicável etc.

A experiência do sagrado acontece como *surpresa* e revela o pressentimento de uma presença que transcende nossa compreensão, que não pode ser nomeada, explicada ou comunicada.

Na concepção de Safra (2006), quando a pessoa encontra algo que a recorda de sua teleologia pessoal, há uma experiência de encantamento e de sublime, sempre singular; esses elementos adquirem valor de ícones, janelas para o mais além, pois a pessoa encontra o que sonha e pressente seu futuro. Essa experiência adquire, assim, valor numinoso ou sagrado.

As experiências do sagrado vêm de fora do mundo, do que é constituído pela comunidade humana. A pessoa vive uma interrupção no fluxo da existência, sendo *visitada* por algo para além de si mesma, como se fosse de fora. O sentido de sua vida se transforma; é fundamentalmente o encontro com o Mistério.

A clínica, a relação psicoterapêutica e o manejo em Gestalt-terapia

Há pessoas que relatam essas experiências, por exemplo, em situações de tempestades, terremotos, tsunamis, acidentes, nas quais são jogadas num estado de transcendência absoluta.

As experiências do Sagrado podem acontecer em três registros (Safra, 2006):

- *no registro do mistério*: põe em questão o domínio do homem pelo conhecimento, pela racionalidade, mantendo-se sempre *para além*;
- *no registro ético*: aparece como verdade, poder, justiça, cuidado, fraternidade etc.; questiona o anseio de definir as relações humanas por uma moralidade que não emerge da ética, dos fundamentos do humano que se revelam na experiência;
- *no registro estético*: aparece como experiência de beleza ou mesmo de horror; põe em questão a estética sem transcendência, padronizada, característica do mundo contemporâneo.

Para o autor, na experiência do sagrado, as fronteiras do si mesmo se dissolvem, e o homem é devolvido ao chão, ao húmus, ao lugar de humildade; o homem se sente pequeno e paradoxalmente experimenta um *fascínio*, já que o sagrado aparece como o sonho do *ainda mais,* como possibilidade de ser, como esperança. Assim, a experiência do sagrado presentifica a potencialidade de *mais ser,* sendo paradoxal, pois rende a vontade humana *e* presentifica seus anseios.

Na clínica, é fundamental que o terapeuta acolha as experiências de sacralidade de seus pacientes, seus encontros de encanto, assim como suas concepções do absoluto, que dão acesso a aspectos constitutivos do psiquismo.

Torna-se *desserviço* ao processo terapêutico e à própria relação se o terapeuta reduz as experiências do sagrado à dimensão psicológica, pois jogará o paciente na solidão, estilhaçando a dimensão comunitária, furtando seu mistério constitutivo, tamponando sua abertura e favorecendo seu adoecimento.

Ao compactuar com uma organização de mundo na qual a subjetividade humana tudo tenta dominar e explicar, o terapeuta adoece o paciente e fica a serviço do *mesmo*, furtando a alteridade, contribuindo ainda que não intencionalmente com as falhas éticas e com a dessacralização da condição humana reinantes na contemporaneidade, que implicam profundos sofrimentos.

A ESPIRITUALIDADE

Espiritualidade é necessidade psicológica constitutiva do ser humano e consiste na busca pessoal de sentido para o existir e o agir (Valle *apud* Amatuzzi, 2005, p. 104).

Para Safra (2006, p. 116, grifo meu),

> A espiritualidade é o fenômeno que se origina pela possibilidade de a pessoa pôr a si mesma e sua existência em consonância com sua concepção do absoluto ou do divino. *Desse modo, seu sonho do futuro significa seu gesto do agora.* O sentido desse gesto é dado por um fim que transcende a ação realizada nesse momento [...] seu gesto ganha um sentido.

O sentido está para além de si mesmo, é um sair de si, é des-criação de si, é o acolhimento da incompletude e acontece como esperança; quando há sentido, a ação da pessoa torna-se litúrgica e sagrada, mesmo na perspectiva ateia (*ibidem*).

Assim, quando a espiritualidade se constitui, a pessoa acolhe a morte, pois seu gesto transcende sua existência pessoal. Para o autor, é o olhar do outro que vai possibilitar a constituição da espiritualidade, já que permite que a pessoa se aproprie de seu sonho último e supere a questão da *sobrevivência*, vivendo pela questão do *sentido*, sustentando a transcendência ontológica.

A espiritualidade, então, é a possibilidade de o ser humano integrar a dimensão transcendente e viver o mistério, transcendendo a si mesmo. É a busca pessoal de sentido e o movimento de colocar-se em direção ao mais além, ao porvir, ao transcendente. É a interrogação sobre as questões últimas, portanto não implica a presença da fé em um ser transcendente.

É importante lembrar que a espiritualidade não se opõe às dimensões material, mundana e corpórea, mas as assume e integra. Há espiritualidade com Deus e sem Deus, e o ateu pode ser uma pessoa espiritualmente rica, enquanto o crente pode utilizar sua religião para estancar a espiritualidade.

Para Safra (2006), a espiritualidade se refere à capacidade de colocar no próprio horizonte uma dimensão do sagrado ou um valor que oriente sua trajetória; essa dimensão está relacionada à singularidade e passa a ter valor espiritual, inspirando e orientando o percurso. Implica uma forma de conversão e ascese cotidiana, já que é preciso muitas vezes colocar entre parênteses o mais imediato, renunciando a satisfações momentâneas e rendendo-se ao que, para a pessoa, é o *fundamental*.

Para esse mesmo autor, o que está colocado no horizonte configurando a espiritualidade de alguém é o que a pessoa anseia que seja o rosto da morte; é o que ela precisa encontrar para morrer com serenidade. Dessa forma, a espiritualidade implica uma transformação da consciência que acolhe a morte, já que o *self* se desconstrói e se rende na direção do *mais além*.

Podemos observar esse movimento da consciência de Perls (1979, p. 11) no início de sua autobiografia, que revela dimensões de sua espiritualidade:

> [...] Já basta de caos e de sujeira!
> Em vez da confusão sentida
> Que se forme uma Gestalt inteira
> Na conclusão da minha vida.

A RELIGIÃO

O termo "religião" refere-se ao sistema de concepções sobre o divino compartilhadas, transmissíveis, institucionalizadas; refere-se a crenças, símbolos, dogmas, conceitos, condutas que se constituem num campo de experiência indagando pelo sentido último (Safra, 2006).

As religiões em geral se organizam com base em um místico cujas experiências são organizadas e transmitidas ao longo das gerações.

A partir da experiência de Moisés, surgiu o judaísmo (e sua ênfase no sagrado e na ética); de Jesus Cristo, o cristianismo (e sua ênfase no sagrado e no amor); de Sidarta Gautama, o budismo (e sua ênfase no sagrado e no desapego); de Maomé, o islamismo (e sua ênfase no sagrado e no serviço).

Ao lado dessas tradições religiosas, o confucionismo, o xintoísmo, o taoismo, o hinduísmo, o zoroastrismo são considerados as grandes religiões do mundo na atualidade (Bach, 2002).

A clínica, a relação psicoterapêutica e o manejo em Gestalt-terapia

No mundo contemporâneo, tornam-se fundamentais o convívio e o diálogo entre as diferentes tradições religiosas, que revelam diferentes facetas do divino, sempre inapreensível; o fenômeno do fundamentalismo religioso revela que a religião pode ocultar o sagrado, configurando-se numa busca de preenchimento da abertura do homem impedindo a transcendência. Transcendência implica esvaziamento.

Na clínica, é importante que o terapeuta busque aprofundar o conhecimento da religião professada por seus pacientes: seus fundadores, suas crenças, seus cultos, suas escrituras, assim como a antropologia e a mitologia subjacentes à tradição religiosa; é importante também reconhecer consonâncias e dissonâncias entre religião e religiosidade a fim de compreender e auxiliar os pacientes em seu processo de crescimento, integração e realização.

É fundamental que o clínico busque compreender os significados envolvidos na escolha de determinada religião por seus pacientes, e o modo de professá-la e vivê-la; como assinalou Amatuzzi (2005), a religião é um campo de experiência que pode favorecer, obstruir ou estancar o processo de crescimento.

OS FENÔMENOS MÍSTICOS

O fenômeno místico se refere ao encontro do homem com o sagrado na sua *interioridade*.

A revelação do apóstolo Paulo – "Já não sou eu quem vive, é o Cristo que vive em mim" – faz referência justamente à experiência mística. O místico vive um avizinhamento com o mistério, rompendo o isolamento, percebendo a unidade da realidade, experimentando um amor radical.

Como vimos, Moisés, Jesus, Sidarta e Maomé viveram experiências místicas ao redor das quais os sistemas religiosos se organizaram. Encontramos referências sobre os fenômenos místicos na biografia de diversos santos e profetas de tradições diferentes orientais e ocidentais; são bastante conhecidas no Ocidente as experiências de João Batista, Teresa D'Ávila, João da Cruz e Francisco de Assis, entre tantos outros.

Muitas experiências vividas na clínica, tanto por paciente quanto por terapeuta, têm qualidades místicas, à medida que se revelam *surpresas* que emergem como o *outro em mim*.

A CLÍNICA GESTÁLTICA CONTEMPORÂNEA E A RESSACRALIZAÇÃO DA EXPERIÊNCIA

Hoje, recebo em minha clínica pessoas adoecidas não apenas *psíquica,* mas *espiritualmente*: manifestam um fechamento à dimensão transcendente da existência, estancadas em seu devir e impedidas de viver transformações e de criar um destino singular, pessoal e compartilhado.

Estão excessivamente aderidas ao mundo, sofrem pela ausência de sentido, desconhecem a confiança e a esperança, ou – o que é ainda mais preocupante – deixam de sofrer e vivem como espectros/simulacros, desenraizadas da condição humana. São pessoas que se encontram reduzidas ao *mesmo* e lançadas numa profunda solidão, vivendo num mundo dessacralizado.

Em Gestalt-terapia, buscamos restaurar ou inaugurar o *diálogo*, a relação em que a singularidade é honrada e valorizada, sendo a própria relação o campo onde a cura pode acontecer. Só nos constituímos em presença de outro.

Os sofrimentos e adoecimentos humanos acontecem no *entre*, nos encontros e desencontros vividos ou nos encontros não acontecidos. A cura é também fenômeno do *entre*, concebida em nossa abordagem como a restauração da abertura, do ritmo, do fluxo, do diálogo, da criatividade e dos laços que nos unem/diferenciam do outro, processo de crescimento, atualização e realização da singularidade.

A relação terapêutica pode ser a experiência-matriz da abertura e da amorosidade para o paciente, e "só o amor pode curar o amor ferido" (Bonaventure *apud* Cardella, 1994, p. 59).

Em trabalhos anteriores (Cardella, 1994, 2009), refleti a respeito da importância do amor na relação terapêutica. É mister assinalar que concebo o amor não apenas como *sentimento,* mas como *atitude* diante da existência. Embora seja mistério e não possamos apreendê-lo, uma de suas dimensões é a *abertura* da pessoa para ser transformada profundamente pelo *outro*. Nessa perspectiva, a abertura amorosa é a própria transcendência.

Diante do amor do terapeuta e de suas diferentes facetas – a atenção, a hospitalidade, a ternura, o reconhecimento, a compreensão, a aceitação, a devoção, a confirmação, a valorização, a delicadeza, entre outras –, é possível que a pessoa que sofre encontre *lugar,* viva uma experiência de *confiança.*

Ao encontrar confiança, poderá reconhecer, aceitar e expressar a dor, iniciando assim um processo de reconciliação com seus aspectos feridos e alienados, processo de resgate de sua abertura para fora, para dentro e para além de si mesma; o paciente gradualmente *presentifica* a dor, torna-se consciente de recursos e liberta-se das defesas cristalizadas que, embora o protejam e sejam criativas originalmente, impedem seu devir e seu crescimento, pois são disfuncionais e empobrecem sua vida e suas relações.

Presentificando a dor, a pessoa encontra ou cria recursos que a capacitem a sustentá-la e/ou atravessá-la, e pode lidar com a vida sem fechar-se ou preencher-se, isolando-se ou misturando-se ao mundo, alienando-se da própria criatividade e de suas potencialidades. Ao restaurar os movimentos de união e de diferenciação – o ritmo e o fluxo do viver –, pessoaliza suas experiências e cocria o mundo.

Quando somos capazes de aceitar a experiência como ela é, a dor torna-se *passagem*; apropriamo-nos da sabedoria ofertada pela experiência e restauramos a abertura, o devir, a esperança.

Observo na clínica que aceitar a própria vulnerabilidade, embora seja experiência de desmoronamento dos apoios, é movimento de ampliação da consciência e da lucidez acerca da finitude, da precariedade e da incompletude; possibilita ao paciente resgatar a condição de peregrino, alcançar o repouso diante da impermanência e da instabilidade inerente à vida e experimentar compaixão. É preciso lembrar que restaurar a abertura é, por vezes, um processo longo e árduo, que implica encontrar os vazios estéreis para aos poucos alcançar vazios férteis.

Certos pacientes precisam, de início, desenvolver autossuporte e fronteiras de ego bem estabelecidas para sustentar a abertura e a consciência da própria precariedade, processo difícil e complexo. Precisam encontrar redes de sustentação (heterossuportes) para constituir basicamente um *si mesmo*, transformação contínua na relação com o outro. Sem autossuporte, dimensão do *si mesmo,* desenvolvido, a abertura e a consciência da precariedade, que implicam desconstrução de

A clínica, a relação psicoterapêutica e o manejo em Gestalt-terapia

si, podem tornar-se queda no abismo, lucidez medonha, terror do nada e enlouquecimento.

A consciência da precariedade permite-nos manter vivas a sensibilidade, a abertura do coração, a pureza e a disponibilidade para a vida, mistério que se revela ora como absurdo, ora como graça. A consciência da precariedade permite sustentar a transcendência ontológica.

Nesse sentido, os trabalhos psicológico e espiritual convergem; ambos buscam remover obstáculos que fecham, preenchem e estancam os movimentos de abertura amorosa. Não podemos esquecer que sofrimento é fenômeno *relacional* e que onde uma presença amorosa nos faltou ou não pôde ser encontrada construímos *defesas*; elas têm por função o preenchimento de vazios e a proteção diante da dor e, ao se *cristalizarem*, perpetuam, paradoxalmente, o sofrimento que tentaram evitar.

Em diversas tradições religiosas o itinerário espiritual relaciona-se com a abertura e a pureza do coração. Seja na purificação do coração (islamismo e cristianismo), na compaixão (budismo) ou no desatamento dos nós do coração (hinduísmo), a *conversio cordis* é a possibilidade de alcançar profundidade espiritual (Teixeira *apud* Amatuzzi, 2005).

A relação terapêutica pode ser a experiência-raiz, relação significativa inaugurante, encontro amoroso que possibilita que o paciente se constitua e restaure o devir. A relação terapêutica é tanto para paciente como para terapeuta uma conversão do coração, possibilidade de realizar o anseio de encontro. O encontro é uma das formas de o sagrado nos visitar. *A conversão do coração é um dos caminhos para restabelecer o sentido do sagrado na clínica.*

Essa jornada só pode ser empreendida à medida que o terapeuta se coloca disponível para ser tocado, mobilizado e transformado por seu paciente. Se tudo correr bem, ambos poderão alcançar a inteireza irmanando-se como curadores feridos e abertos, que se reconhecem em sua singularidade.

Esse é o Encontro *Eu-Tu*, uma das dimensões fundamentais da existência. Embora o Encontro *Eu-Tu* não aconteça por busca ou por deliberação, a disponibilidade é o campo onde pode vir a acontecer.

Ressacralizar a vida e a experiência humana no contexto da clínica contemporânea é essencialmente colocar-se *disponível*, acolhendo o paciente em seu mistério; ainda assim, o encontro pode não acontecer. Como lembra Hycner (1995), o encontro é obra da *graça*.

A hospitalidade demanda que o terapeuta se posicione como *descalço* (pisa o chão, o húmus) e como *anfitrião*, já que se curva diante da singularidade e da criatividade de seus pacientes, acolhendo seu mistério (Cardella, 2010/2011). Assim, precisa aparecer como *pessoa* para transcender o cuidado *técnico* e alcançar o cuidado ético.

Para tanto, é necessária uma clínica sustentada nos fundamentos do humano, ou seja, no *ethos*; como mencionei no início do capítulo, a relação terapêutica configura-se *morada*.

É fundamental que o terapeuta seja capaz de *reconhecer e restaurar* os elementos do *ethos* na relação terapêutica e na experiência de seus pacientes, entre eles (Cardella, 2010/2011):

- *o tempo*: suas diferentes dimensões, os ritmos, os ciclos, os fluxos, os processos, a duração, a historicidade, a esperança, a experiência de *não tempo* (Kairós);

A clínica, a relação psicoterapêutica e o manejo em Gestalt-terapia

- *o espaço*: a experiência de lugar, de pertencimento, de confiança, de *lar*, as raízes, a habitação poética do mundo;
- *o encontro*: com o outro em si, diante de si e para além de si. A disponibilidade, a ternura, a amorosidade, a solidariedade, a gratidão, a intimidade etc.;
- *a palavra e o silêncio*: a palavra fresca, inédita, poética; a palavra-mistério que é paradoxalmente revelação. A palavra que abriga a dor, abre e funda mundos, consola, indaga, legitima, acompanha, testemunha, interpela, refrigera. O silêncio que é fonte, presença, comunicação profunda, repouso e vazio fértil;
- *a ação*: quando criativa é pura abertura, portanto *transformação*;
- *a surpresa e a singularidade*: as visitas do mistério que habita o si mesmo, o outro, o encontro;
- *as experiências do sagrado*: os atravessamentos do si mesmo que colocam a pessoa face a face com o imponderável, com o *totalmente outro*.

Ao reconhecer e acolher os fundamentos do humano, é possível tanto ao terapeuta quanto ao paciente alcançar a posição de *abertos*, disponíveis para a experiência da s*acralidade*, de receptividade à dimensão transcendente.

Se o resgate da amorosidade do paciente e o estabelecimento de uma relação significativa são possibilidades de sustentação da transcendência ontológica e de sacralização da experiência, há, contudo, alguns obstáculos nesse processo.

Para Valle (*apud* Amatuzzi, 2005, p. 96), é tarefa dos profissionais de psicologia também "desconstruir e desmistificar as motivações neuróticas e narcísicas da religiosidade de seu cliente, libertando sua espiritualidade de seus aspectos ilusórios e direcionando assim o potencial vital para uma fé mais amadurecida". Segundo o autor, é preciso estar atento para não dicotomizar o sagrado e o profano nem confundir a dimensão emocional com os fenômenos místico-religiosos.

É importante lembrar que é tarefa do clínico reconhecer as situações existenciais nas quais a pessoa se utiliza de concepções religiosas ou ditas espirituais para estancar/tamponar o devir e a transcendência, que promovem a estagnação e a perda da condição de caminhante e peregrina e caracteriza uma forma de adoecimento do sentido de si.

Assim, um dos desafios na clínica contemporânea, além de reconhecer as experiências relacionadas ao sagrado, à espiritualidade, à religiosidade e à religião dos pacientes, é identificar o uso das práticas religiosas de modo *defensivo*, como tentativa de "preenchimento" de vazios, de fechamento da abertura fundamental, denominadas por Welwood (2003) de "desvios espirituais".

Esse fenômeno relaciona-se também ao "consumo" de práticas que, embora denominadas de espirituais, refletem, no fundo, um estancamento da espiritualidade. É o *materialismo espiritual,* ou a utilização dos valores espirituais para ganhos pessoais, inflação do ego, consumismo, mentalidade de rebanho e aceitação sem críticas de ideologias de grupo.

Esses mecanismos defensivos revelam conflitos no processo de crescimento e perturbações nas fronteiras de contato; constituem *próteses* para dar conta das fragilidades de ego que "fecham" a pessoa e nada têm de espirituais. Essa forma de materialismo se configura na criação de ídolos, no aprisionamento no *mesmo* e numa forma de *preenchimento*, alienando a pessoa de sua condição de *abertura* e *passagem* – portanto, de sua espiritualidade. Esses fenômenos referem-se às tentativas da pessoa de se elevar acima de seus fardos cotidianos, numa atitude de escapismo, tendendo a transcender prematuramente conflitos, necessidades, responsabilidades e chamados ao crescimento.

Nessas circunstâncias, o indivíduo tende a criar uma identidade disfuncional espiritual (cristalizada e polarizada), constituída a fim de escapar de suas questões psicológicas conflitantes. Busca *renunciar* a um si mesmo nem sequer constituído suficientemente.

Tal reflexão nos recorda da complexidade do trabalho terapêutico e dos desafios cotidianos do terapeuta; além de aprofundar-se no conhecimento da condição humana e na abordagem que o orienta, é sua responsabilidade colocar em marcha seu processo de crescimento, o que implica contínuo trabalho pessoal.

Dificilmente levamos nossos pacientes além do ponto ao qual nós mesmos chegamos, e só poderemos nos tornar companhias confiáveis e amorosas à medida que empreendermos nossa viagem e vivermos a experiência da abertura em nossa vida. Reconhecer e acolher a própria vulnerabilidade possibilita que o terapeuta posicione-se *aberto*, capaz de viver a suspensão e o esvaziamento de si sem defender-se do sofrimento do paciente, repetindo os desencontros vividos ou os encontros não acontecidos. A capacidade de manter-se aberto é que faz do terapeuta *seu próprio instrumento*.

Ser clínico é *disponibilizar-se*, é sustentar-se na instabilidade, é reverenciar a singularidade dos pacientes atendendo ao chamado (vocação) para a *conversão do coração*: cadinho das transformações e caminho de revelação da sacralidade do si mesmo, do outro, do encontro e do ofício.

UMA VINHETA CLÍNICA

Há alguns anos, recebi no consultório uma menininha de 6 anos de idade que, ao adentrar a minha sala, lançou-me estas perguntas:

– Bia, você é psicóloga?

– Sou – respondi.

– E o que faz uma psicóloga? Resolve todos os mistérios? – ela perguntou.

– Não! – eu disse de supetão. – Senão a vida não teria mais graça! Mas a gente pode conversar muito sobre mistérios.

A menina fez um sinal pedindo que eu aguardasse, foi até a sala de espera e em alguns segundos retornou com as mãozinhas para trás. Então, me chamou para perto da janela, onde batia um raio de sol.

De repente, como se quisesse me fazer uma surpresa, retirou as mãos das costas e, ao segurar com profunda delicadeza uma pena de ave, posicionou-a contra o raio de sol, exclamando encantada:

– OLHA!!!!!

A menininha viu a pena e *muito mais* que a pena, tentando me dizer o *indizível*. Essa foi uma das maiores lições que recebi acerca da experiência do sagrado e da clínica como lugar de acolhimento e sustentação da abertura do ser humano para o *mais além*.

Percebi que a menina tinha sido *visitada* pela beleza, pelo sublime, pela perfeição, por meio de algo tão corriqueiro

A clínica, a relação psicoterapêutica e o manejo em Gestalt-terapia

quanto uma pena. Buscava interlocução, testemunha e companhia para sua experiência de maravilhamento e para o mistério e a singularidade que também a constituíam.

Ao lhe responder que não resolveria todos os mistérios e ao me disponibilizar para testemunhá-los e compartilhá-los, pude caminhar espontaneamente na direção de suas necessidades e anseios. Para mim, aquele se configurou num dos momentos estrelados de meu percurso profissional: foi um momento sagrado.

Encontrar-me com a garotinha foi uma experiência que me transformou profundamente e ensinou-me sobre o anseio humano pelo *intangível* e sobre a reverência ao Mistério como uma das atitudes éticas fundamentais na clínica.

Mistério presente no modo de ser da menininha, no encanto revelado por seu olhar ao contemplar a beleza da pena de uma ave, nos caminhos que convergiram para que nos encontrássemos, no diálogo profundo e aberto que travamos mesmo silenciosamente e na repercussão do encontro – que, a despeito de ter acontecido há tantos anos, se presentifica e se eterniza neste estudo, expressão do meu modo de ser e colheita da experiência compartilhada.

A menina foi visitada pelo sagrado em forma de natureza; eu, sua terapeuta, pelo encontro com ela. Obra da *graça*.

Duas faces do mesmo Mistério que tudo habita. Mistério que nos devolve ao húmus, ofertando repouso e raízes, e se faz horizonte, renovando esperanças e libertando asas. Basta abrir os olhos.

Lilian Meyer Frazão e Karina Okajima Fukumitsu (orgs.)

REFERÊNCIAS BIBLIOGRÁFICAS

Amatuzzi, M. (org.). *Psicologia e espiritualidade*. São Paulo: Paulus, 2005.

Bach, M. *As grandes religiões do mundo*. Rio de Janeiro: Nova Era, 2002.

Buber, M. *Eu e tu*. São Paulo: Cortez & Moraes, 1979.

Cardella, B. H. P. *O amor na relação terapêutica: uma visão gestáltica*. São Paulo: Summus, 1994.

_____. *Laços e nós: amor e intimidade nas relações humanas*. São Paulo: Ágora, 2009.

_____. "O cuidado na clínica contemporânea: a hospitalidade com o humano e o terapeuta anfitrião – O outro-raiz". *Sampa GT*, São Paulo, n. 6, 2010/2011.

Crema, R. *Antigos e novos terapeutas*. Petrópolis: Vozes, 2002.

Delacroix, J. *Encuentro con la psicoterapia*. Santiago do Chile: Quatro Vientos, 2008.

Hycner, R. *De pessoa a pessoa*. São Paulo: Summus, 1995.

Leloup, J.; Boff, L. *Terapeutas do deserto*. Petrópolis: Vozes, 2002.

Massimi, M.; Mahfoud, M. (orgs.). *Diante do mistério*. São Paulo: Loyola, 1999.

Otto, R. *O sagrado*. Lisboa: Edições 70, 1992.

Perls, F. *Escarafunchando Fritz: dentro e fora da lata do lixo*. São Paulo: Summus, 1979.

Ribeiro, J. P. *Conceito de mundo e pessoa em Gestalt-terapia*. São Paulo: Summus, 2011.

Safra, G. *A po-ética na clínica contemporânea*. Aparecida: Ideias e Letras, 2004.

_____. *Desvelando a memória do humano*. São Paulo: Sobornost, 2006.

Welwood, J. *Em busca de uma psicologia do despertar*. Rio de Janeiro: Rocco, 2003.

4
Compreensão clínica em Gestalt--terapia: pensamento diagnóstico processual e ajustamentos criativos funcionais e disfuncionais

LILIAN MEYER FRAZÃO

As emoções são um universo sagrado. É preciso cuidado,
respeito e permissão para penetrar nesse espaço
tão delicado, tão poderoso...

O objetivo do presente capítulo é compartilhar algumas reflexões feitas nas últimas décadas a respeito do diagnóstico em Gestalt-terapia. Embora comumente no campo da psicologia se pense em diagnóstico como um processo investigativo que deve preceder o tratamento ou a intervenção clínica – como ocorre quando se fala em estudo de caso –, acredito que esse modelo, que em muito se assemelha ao modelo médico, não seja adequado à Gestalt-terapia, dada sua concepção de homem e de processo terapêutico. Uma vez que concebemos o homem como uma totalidade, em constante processo de crescimento e desenvolvimento, o que inclui não apenas atenção a suas dificuldades e sofrimentos, mas também a suas possibilidades e potencialidades, faz-se necessária uma concepção de diagnóstico que contemple esses aspectos sem excluir os demais.

Em Gestalt-terapia, pensar diagnosticamente demanda uma atitude de investigação inicial e também ao longo de todo o processo psicoterapêutico, comungando investigação e tratamento – que devem caminhar lado a lado. Além disso, conforme investigação e tratamento se desenvolvem ao longo do processo psicoterapêutico, reconfiguram o diagnóstico, de forma que pensar diagnosticamente em Gestalt-terapia implica um processo dinâmico e contínuo de formação e destruição de *Gestalten*.

Não pensamos em diagnóstico como algo fixo nem como um perigoso "rótulo" – como alegavam o movimento humanista e a antipsiquiatria da década de 1960, que rejeitaram a ideia de diagnóstico por achá-lo despersonalizante e por acreditar ser ele um rótulo limitante que pouco contribuía para a compreensão e o desenvolvimento do paciente. Acreditava-se que o diagnóstico reduzia as pessoas a conceitos e as categorizava, tornando-se assim antiterapêutico e politicamente repressivo (Deslile, 1990).

Talvez isso tenha relação com o fato de que, ao pensar em diagnóstico, esses movimentos consideravam os *critérios diagnósticos*, cuja função é operacional e cujo objetivo é oferecer uma convenção que possibilite uma *comunalidade* de linguagem e de critérios. Para tanto, agrupam, nomeiam e classificam aquilo que se refere à perda dos mecanismos normais de funcionamento – como é o caso dos Manuais Diagnósticos e Estatísticos de Transtornos Mentais (DSMs) e das Classificações Internacionais de Doenças (CIDs).

Embora classificações desse tipo possam ser úteis por proporcionar uma *linguagem comum*, importante no campo do trabalho interdisciplinar, não são suficientes. Elas descrevem o que há em comum entre as pessoas portadoras de determinado distúrbio, como é o caso das alucinações nos psicóticos – sejam elas visuais, auditivas, olfativas etc. –, mas não descrevem o conteúdo singular delas em cada paciente, tampouco seu significado.

Sem negar a importância de tais classificações, é preciso considerar que elas são insuficientes para o desenvolvimento do trabalho clínico, demandando também a compreensão da dinâmica e da complexidade de cada paciente em sua singularidade existencial.

Se os critérios diagnósticos nos oferecem a *comunalidade* – o que há de comum entre os homens –, falta-lhes a *singularidade* (o que há de diferente, próprio, singular em cada homem).

Para tanto, é preciso que nos afastemos do modelo médico, que supõe, conforme colocado por Rogers (1972, p. 195):

- que uma situação orgânica tem uma causa que a antecede;
- que o controle dessa situação é mais possível se essa causa for conhecida;
- que a descoberta e a descrição exata da causa são um problema que pode ser cientificamente investigado.

No campo da psicoterapia, o diagnóstico deve ser entendido como a descrição e a compreensão de cada cliente em sua singularidade existencial, ou seja, é preciso compreender o que cada sintoma e queixa significam no contexto específico em que surgiram e no conjunto da vida da pessoa, bem como a que propósito serviram.

O diagnóstico não deve ser vinculado a uma doença ou anormalidade, e sim ao modo de existir de alguém (o que pode incluir uma doença/anormalidade, mas esta não é elemento suficiente para uma compreensão mais ampla).

Diagnosticar implica pensar os processos de ajustamentos criativos funcionais e disfuncionais, razão pela qual esclareço minha compreensão deles a seguir.

AJUSTAMENTOS CRIATIVOS FUNCIONAIS

A Gestalt-terapia tem uma concepção holística de Homem, o qual é concebido como ser biopsicossocial dotado de múltiplas dimensões: física, afetiva, intelectual, social, cultural e espiritual. A experiência é fruto da interação do indivíduo com o meio ambiente.

O que possibilita a experiência em tal interação é contato e *awareness*.

Awareness é a capacidade de aperceber-se do que se passa dentro e fora de si no momento presente, seja em que dimensão for (corporal, mental, emocional). É a possibilidade de perceber, simultaneamente, os meios externo e interno, mediante recursos perceptivos e emocionais, embora em determinado momento algo possa se tornar mais proeminente (Frazão, 1999).

Para que haja *awareness* é necessário que exista contato, embora possa haver contato sem *awareness* (Perls, Hefferline e Goodman, 1998).

O contato se dá por meio daquilo que em Gestalt--terapia chamamos de funções de contato: visão, audição, olfato, tato, fala e movimento. É pelas funções de contato

A clínica, a relação psicoterapêutica e o manejo em Gestalt-terapia

que nossa percepção se organiza e nossos sentimentos adquirem significado.

Contato com *awareness* empobrecida resulta em contato que carece de qualidade. É o processo de contato de boa qualidade que propicia que a interação indivíduo/ambiente seja nutritiva e que ocorram mudanças no campo relacional pessoa-ambiente, isto é, crescimento e desenvolvimento.

Em nossa vida, temos necessidades distintas e inter-relacionadas: as de natureza fisiológica (comer, beber, dormir) e as de natureza psicológica (relacionarmo-nos com o outro, expressarmos emoções, sermos amados e respeitados). Ao longo do desenvolvimento, nossas necessidades tornam-se progressivamente mais complexas e abrangem diferentes âmbitos de inserção social e cultural. Qualquer que seja a natureza ou a abrangência da necessidade, é no campo indivíduo/ambiente que ela se manifesta e se realiza.

Desde o início da vida, as experiências da pessoa são relacionais. Para o recém-nascido, esse campo está, em grande parte, delimitado pela relação mãe-bebê.

A mãe, por meio de sua *awareness*, pode captar empaticamente seu bebê, percebendo suas necessidades. Uma vez que é ela que, a um só tempo, supre as necessidades fisiológicas e está junto do filho amorosa e respeitosamente, ela é o primeiro outro significativo com quem a criança tem contato; constitui a primeira e mais importante possibilidade de estabelecimento de relação, sendo nesse campo relacional mãe-bebê que terá início o processo de desenvolvimento. Pouco a pouco, à medida que desenvolva autossuporte e se sinta segura, a criança poderá ampliar seu contato com o mundo, ampliando cada vez mais o âmbito e a complexidade de suas experiências.

Embora em geral se pense no bebê como "aquele que depende", creio ser importante assinalar que existe também uma interdependência, uma relação de reciprocidade mãe--filho, um interjogo de satisfações mútuas. Ao mesmo tempo que a mãe satisfaz o bebê, sente-se satisfeita; tanto quanto o bebê precisa ser amamentado, também a mãe precisa aliviar a pressão do seio repleto de leite; aos incômodos sentidos e manifestos pelo bebê correspondem desconfortos na própria mãe. As reações da mãe no sentido de aliviar o filho dos incômodos que manifesta cumprem, também, a função recíproca de proporcionar a si mesmo satisfação. Dessa forma, a relação mãe-bebê envolve interdependência e certa mutualidade.

Estar com seu bebê amorosa e respeitosamente, aceitando--o e confirmando-o tal como ele é, favorecerá a diferenciação e o desenvolvimento da individualidade. Esse processo de tornar--se um indivíduo único decorre da qualidade da relação com o outro. E, na medida em que o outro faz parte do ambiente, o que possibilita o desenvolvimento psíquico saudável é a interação saudável indivíduo-ambiente, Eu/não Eu, por meio da qual se dará a satisfação de necessidades – sobretudo aquela que considero fundamental do ponto de vista psicológico: o estabelecimento e a manutenção da relação com o outro.

O atendimento de necessidades ocorre por intermédio do ajustamento criativo, que é a capacidade de satisfazer às nossas necessidades de acordo, simultaneamente, com nossa hierarquia de necessidades e com as possibilidades no campo organismo/meio. Ou seja: é a capacidade de interagir de modo ativo com o ambiente na fronteira de contato, adaptando, quando necessário, a demanda das necessidades às possibilidades de atendimento do ambiente.

Ajustamento criativo saudável implica *awareness* de nossas necessidades, bem como ser capaz de priorizá-las, de acordo com aquilo que Perls (1973) denominou de hierarquia de valores ou dominâncias e no Brasil convencionamos chamar de hierarquia de necessidades: quando diferentes necessidades ocorrem ao mesmo tempo, a pessoa atende à necessidade dominante primeiro. Trata-se de uma hierarquia que, no caso de ajustamentos criativos funcionais, sempre varia, uma vez que a todo momento nossas necessidades mudam.

À medida que a pessoa possa experienciar, ao longo de seu desenvolvimento, uma relação amorosa e respeitosa, em que possa expressar suas necessidades (sejam elas de que natureza forem) e exercer seu potencial, poderá se desenvolver como indivíduo único e singular, interagindo com o ambiente por meio do ajustamento criativo, de acordo com sua hierarquia de valores.

Embora eu esteja focalizando o processo de desenvolvimento com base no que ocorre na interação mãe/bebê, processos análogos se dão em outros tipos de relacionamento ao longo da vida, com duas diferenças significativas:

- Não existe o mesmo grau de dependência em relação ao outro como na relação mãe/bebê. Conforme ocorrem os processos de desenvolvimento e crescimento, a independência e a autonomia da pessoa aumentam. Embora a necessidade de se relacionar com outro persista, a natureza dessa relação se modifica: enquanto decresce em grau de dependência, cresce em grau de reciprocidade e mutualidade.
- Quanto mais se ampliam os processos de desenvolvimento e maturação, maiores o âmbito e a complexidade

das experiências que se apresentam à pessoa, e maior a possibilidade de ela dar conta dessas experiências.

Sintetizando: considero o ajustamento criativo funcional um fenômeno interativo que ocorre na fronteira de contato e se refere à habilidade de se relacionar criativamente com o ambiente como indivíduo único, com vistas à expressão e ao atendimento de necessidades – mantendo, ao mesmo tempo, uma relação respeitosa com o outro em sua unicidade.

AJUSTAMENTO CRIATIVO DISFUNCIONAL

Ao longo do desenvolvimento, a satisfação de certas necessidades pode rivalizar com a manutenção da relação com o outro. Quando isso ocorre, a pessoa, por meio do ajustamento criativo, busca formas diferentes de expressar suas necessidades, mantendo, ao mesmo tempo, a relação com o outro. No entanto, se essas tentativas falharem, haverá conflito. Uma vez que a mãe é necessária para atender às necessidades mais primárias, esse conflito poderá se tornar crucial, sobretudo se ocorrer cedo e repetidamente na vida. De forma menos decisiva, mas ainda assim significativa, o mesmo pode se aplicar a outras experiências relacionais ao longo da vida.

Se a tentativa de expressar as necessidades de forma diferente falhar repetidamente, a fim de diminuir o conflito *e* manter a relação, dada a hierarquia de valores, a expressão de necessidades poderá ser distorcida ou até suprimida. O ajustamento, em vez de funcional, tornar-se-á disfuncional.

Uma vez que, como vimos, a percepção se organiza e nossos sentimentos adquirem significado por meio das funções de

A clínica, a relação psicoterapêutica e o manejo em Gestalt-terapia

contato, o ajustamento criativo disfuncional implicará algum grau de desorganização ou distorção do universo das percepções e dos sentimentos – o que, por sua vez, interferirá nos processos de *awareness*.

Nessas condições, a relação que a criança mantém com sua mãe em lugar de segurança favorecerá o surgimento de desamparo e insegurança, interferindo na qualidade e na possibilidade de desenvolvimento das potencialidades da criança e na ampliação do âmbito e da complexidade de suas experiências.

Trata-se de *Gestalten* abertas, que demandam e buscam fechamento. Quanto mais grave, significativa e essencial for essa situação, mais os processos de ajustamento criativo perderão sua natureza criativa e se tornarão *Gestalten* abertas, fixas ou cristalizadas.

Tobin (1982) refere-se a esse processo como "respostas adaptativas necessárias à sobrevivência em função de situações infantis difíceis" (*adaptative survival necessary responses to difficult childhood situations*). Para ele, tais respostas são mantidas em situações atuais presentes que parecem semelhantes ou idênticas às situações passadas. Na opinião desse autor, as pessoas tinham escolhas possíveis, apesar de sentirem como se não as tivessem.

Gostaria de discutir três questões relativas à colocação feita por Tobin.

Primeira questão: considero interessante a maneira como Tobin nomeia o resultado desse processo, exceto pelo fato de restringir as respostas a situações *infantis*. Embora concorde que elas ocorram e sejam significativas sobretudo em situações infantis difíceis, quando a necessidade de manutenção da relação com o outro é maior e o conflito mais crucial, essas "respostas adaptativas necessárias à sobrevivência" podem ocorrer em outras situações relacionais significativas difíceis ao longo da vida.

Segunda questão: acredito que as pessoas tinham outras escolhas possíveis, apesar de sentirem como se não as tivessem, porque *não podiam* fazê-las, seja qual fosse a natureza da impossibilidade. O fato de a pessoa não poder ter feito outra escolha não deve ser entendido como se os pais tivessem sido tão "ruins" que ela não teve outra alternativa, nem como se não *quisesse* fazer outra escolha. O que precisa ser considerado é a maneira como a pessoa percebeu o fato e a reação que isso suscitou nela; dito de outra forma, de que fundo aquela figura emergiu de modo que adquiriu tal significado. A escolha feita pela pessoa é sempre a escolha que ela, naquela circunstância, com aquela experiência, *pôde* fazer. A escolha feita foi em função de uma necessidade que considero absolutamente verdadeira e legítima: a de sobreviver como indivíduo mantendo a relação com o outro.

Essa escolha se constitui num ajustamento criativo que pressupõe o princípio da pregnância, ou da boa forma, da psicologia da Gestalt, de acordo com a qual a organização psicológica será sempre tão "boa" quanto as condições reinantes o permitirem (Koffka, 1975, p. 121).O princípio da pregnância é o pressuposto do conceito de autorregulação organísmica da Gestalt-terapia, segundo o qual o organismo fará o melhor que pode para se regular dados simultaneamente suas capacidades e os recursos do ambiente (Latner, 1973). As respostas adaptativas necessárias à sobrevivência que observamos em funcionamento não saudável resultam de processos de autorregulação organísmica, sendo (na origem) ajustamentos criativos e constituindo aquilo que é *possível*.

Além disso, tais ajustamentos muitas vezes revelam possibilidades que, reconfiguradas, podem revelar potencialidades a serviço do desenvolvimento de um modo de funcionar saudável e criativo.

Terceira questão: o funcionamento não saudável implica certa desorganização ou distorção do universo das percepções e dos sentimentos; por isso, como colocou Tobin, as situações presentes *parecem* idênticas às passadas.

Enfim, cabe afirmar que considero ajustamento criativo disfuncional um fenômeno interativo que ocorre na fronteira de contato e se refere à inabilidade e/ou impossibilidade de se relacionar criativamente com o ambiente. Ao contrário, a pessoa se relaciona por meio de padrões cristalizados e repetitivos, pelos quais a expressão de necessidades e sentimentos é distorcida ou suprimida a fim de manter a relação com o outro, por mais artificial ou inautêntica que uma relação desse tipo possa *parecer*. Quanto mais intensa a necessidade e maior a dificuldade de expressá-la e satisfazê-la, e quanto mais precocemente ela ocorrer, tanto mais provável depararmos com sintomas graves (físicos ou psíquicos).

PENSAMENTO DIAGNÓSTICO PROCESSUAL

Nessa perspectiva, podemos retomar a questão do diagnóstico: este está longe de ser um rótulo limitante, como pensavam alguns autores na década de 1970, e deve, a meu ver, ocorrer não apenas no início mas também ao longo do processo terapêutico, quando investigação e intervenção caminham lado a lado, num processo dinâmico e contínuo de formação e destruição de *Gestalten*. Em virtude dessa dinamicidade, considero mais adequado falar em "pensamento diagnóstico processual", termo que cunhei em 1989 quando falei do tema pela primeira vez, no II Encontro Nacional de Gestalt-terapia, realizado em Caxambu, Minas Gerais.

Ao longo do processo terapêutico, constantemente nos perguntamos *o que* está acontecendo e *a serviço do quê* (para quê).

No pensamento diagnóstico processual, além de identificarmos os ajustamentos disfuncionais – que por tenderem a ser padronizados e repetitivos perderam sua natureza criativa –, devemos identificar os ajustamentos criativos funcionais, que nos remetem às possibilidades e potencialidades de nossos pacientes.

Esse diagnóstico deve acompanhar o processo terapêutico levando em consideração o crescimento do paciente e suas mudanças ao longo do tempo e na sua relação consigo e com o outro. É por isso que, em lugar de diagnóstico, prefiro falar em pensamento diagnóstico processual.

Ao diagnosticar precisamos estar atentos àquilo que se mostra no que aparece e não apenas no que aparece, como nos mostra a fenomenologia. Dito de outra forma, é necessário compreender a serviço de quê se constituiu aquilo que aparece.

O pensamento diagnóstico processual não precisa ser despersonalizante nem tem relação com um rótulo limitante. Não se refere ao que a pessoa é, mas a como ela *está* a cada momento do processo terapêutico.

Aquilo que o cliente nos traz no aqui e agora não é apenas seu presente imediato, a-histórico. O aqui e agora inclui o passado – que surge na forma de lembranças e experiências – e o futuro – que se apresenta na forma de projetos, anseios, planos.

A clínica, a relação psicoterapêutica e o manejo em Gestalt-terapia

O que aparece no relato do paciente é uma figura que se insere num fundo, e por fundo entendo a história de vida do cliente, suas experiências, seus relacionamentos passados (em especial as relações primárias significativas), seus sucessos e insucessos nas mais diferentes áreas (profissional, afetiva, social etc.), suas potencialidades e seus limites. É preciso compreender a relação entre aqui e agora e lá e então; do passado com o presente; entre a figura/queixa e o fundo, pois é a relação figura/fundo que dá sentido à figura.

A ênfase dada pela Gestalt-terapia ao aqui e agora frequentemente gera um mal-entendido: pensa-se que o passado não tem importância, devendo ser desconsiderado. Ao enfocarem a função da recuperação de cenas passadas, Perls, Hefferline e Goodman (1998, p. 105, grifos dos autores) afirmam:

> [...] o conteúdo da cena recuperada é bastante sem importância, mas [...] o sentimento e a atitude infantis que viveram a cena são da máxima importância. *Os sentimentos infantis não são importantes como um passado que deve ser desfeito, mas como alguns dos poderes mais belos da vida adulta que precisam ser recuperados* [...].

Assim, o pensamento diagnóstico processual implica compreender a relação da pessoa com sua história passada e presente, pois a configuração presente está relacionada a como a pessoa viveu suas experiências e a como elas a afetaram e ainda a afetam.

O conhecimento que posso ter do cliente se dá por aquilo que ele apresenta: sua expressão verbal e não verbal, sua história de vida, seus sintomas e queixas, seus sentimentos etc.

Conheço-o também por meio daquilo que experiencio em minha relação com ele: sentimentos, intuição, fantasias e observação, além do conhecimento e da minha experiência clínica prévia (que orientam meu olhar e minha escuta).

O pensamento diagnóstico processual envolve uma descrição e compreensão do funcionamento psíquico de cada indivíduo singular, bem como seu desenvolvimento e mudanças ao longo do processo psicoterapêutico.

O pensamento diagnóstico processual com cada cliente é tão singular quanto cada cliente é único. Embora não seja um processo linear, nem o mesmo com todos os pacientes, numa tentativa de oferecer alguns indícios de como se pode alcançar um diagnóstico compreensivo mencionarei alguns aspectos úteis para tanto.

Desde o primeiro momento de contato com o paciente, quer na primeira entrevista, no telefone – quando ele marca sua primeira consulta – ou no início de uma sessão, é importante não ter nenhuma ideia apriorística em mente. Faz-se necessário um estado de disponibilidade interna e de abertura ao outro, no qual é possível deixar-se entrar em contato com aquilo que possa emergir na relação.

Além disso, é preciso demonstrar uma atitude respeitosa de curiosidade, tomando o cuidado de não invadir, e sim de mostrar interesse; perguntar sem insistir, ouvir e acolher sem julgar ou avaliar.

É importante estar atento àquilo que impacta, àquilo que chama a atenção, intriga, não faz sentido, impressiona e assim por diante. Isso pode ocorrer no discurso do paciente, na sua aparência, na sua energia, na sua postura corporal, na sua afetividade (ou nos bloqueios dela), na sua voz ou em expres-

A clínica, a relação psicoterapêutica e o manejo em Gestalt-terapia

sões de outra natureza. Em geral, o impacto sinaliza algo que, embora talvez não seja compreendido de imediato, pode vir a fazer sentido ao longo do tempo.

Certa ocasião fui procurada por uma paciente de aproximadamente 50 anos. Ao recebê-la na sala de espera, deparei com uma mulher muito malvestida. Sua roupa parecia-me extremamente inadequada para a idade e muito descombinada. À medida que caminhávamos para minha sala, observei que tanto suas roupas quanto seus sapatos e sua bolsa eram de grifes caras – e aquilo me impactou. A cliente relatou que era origem muito pobre e que, depois de alguns anos de casada, seu marido se tornou um homem rico, mas ela não conseguia se sentir parte daquele mundo repleto de pessoas ricas, jantares, viagens etc. Era como se ela fosse uma estrangeira em qualquer lugar: ela não pertencia àquele novo mundo e também não pertencia mais às suas origens.

Essa mulher tinha um sério problema de identidade, não sabia quem era. E suas roupas, que haviam inicialmente me impactado, revelavam isso.

Omissões também podem ser significativas e esclarecedoras. Omissões se referem àquilo que o paciente *não conta*, deliberadamente ou não. As omissões, ao contrário dos impactos, não são percebidas pelos sentidos, mas por lacunas no relato verbal. Podem referir-se a períodos de vida, relações significativas, áreas de desempenho profissional, sexual ou social, saúde física etc. Lacunas podem indicar áreas de dificuldade ou menosprezadas pelo paciente.

Tive um paciente cuja aparência chamou minha atenção: alto, forte e musculoso. Falava o mínimo possível e respondia laconicamente às minhas perguntas. A razão que o levara a procurar psicoterapia não era clara para mim, e mesmo quando eu lhe perguntava a única resposta que obtinha era que o médico dissera que "ele precisava". Dei-me conta de que ele não havia mencionado nada a respeito de sua vida afetiva e sexual. Perguntei-lhe a esse respeito, e ele me contou que era impotente. Este era na realidade o motivo que o levara a buscar terapia, e só foi possível chegar a ele pela percepção da omissão.

Também presto atenção às associações espontâneas, isto é, ao fluxo associativo da expressão verbal e não verbal do cliente (quer ela se refira a fatos e/ou a afetos). As associações espontâneas podem revelar conexões figura/fundo, das quais o cliente muitas vezes não se dá conta.

Certa vez, uma cliente iniciou a sessão comentando sobre as flores vermelhas que vira no jardim. Acrescentou que gostava muito de vermelho, pois essa cor, para ela, significava vida e paixão. Em seguida, disse estar muito deprimida, sentindo-se como folhas secas no chão, sem vida nem função. E afirmou: "Preciso reciclar e no entanto só vejo coisas ruins; quero viver... me transformar". Retomei o que ela dissera a respeito das flores vermelhas e apontei que ela não via apenas as coisas ruins. No decorrer da sessão, ela se deu conta do ciclo no qual folhas caem de árvores e transformam-se em fertilizantes que, por sua vez, nutrem a árvore, tornando possível que novas folhas, potencialmente mais fortes, cresçam. Acrescentou que vinha sentindo que todas as coisas difíceis pelas quais passara (um processo longo e doloroso de depressão, com sério comprometimento orgânico e embotamento intelectual) haviam lhe ensinado muitas coisas: era como se só agora ela começasse a viver. Essa associação, uma vez esclare-

cida, levou-a, por meio de uma metáfora, a perceber que ela nascia de novo, como as folhas novas e mais fortes da árvore. Além dos impactos, das omissões e das associações, considero útil também prestar atenção às repetições. Elas podem sinalizar cristalizações, que impedem a fluidez na formação de *Gestalten*. Repetições muitas vezes podem ser ouvidas literalmente como *re-petições*, um pedir novamente. A questão não é atender ao pedido, e sim ouvi-lo no que concerne à sua função, de tal forma que o pedido expresso possa ser ressignificado e o processo fluido de formação e destruição de *Gestalten*, restaurado.

Perls, Hefferline e Goodman (1997, p. 101) chamam a atenção para o fato de que "a compulsão neurótica à repetição é sinal que uma situação inacabada do passado ainda está inacabada no presente". Acrescentam ainda que "é o esforço repetido do organismo para satisfazer sua necessidade que causa a repetição" (*ibidem*, p. 103).

Tive uma paciente que se queixava de ter um péssimo relacionamento com o marido. Apesar disso, não conseguia se separar dele. Ela dizia não ser capaz de fazer nada sozinha e usar o marido como uma espécie de "muleta" – padrão que se repetia em diferentes relacionamentos de sua vida: com sua mãe, com sua irmã, com seus filhos etc. A cliente se sentia ameaçada pela possibilidade de se divorciar, pois não se dava conta de suas próprias "pernas" – por sinal muito fortes e bonitas. Sua história de vida indicava que, na verdade, ela era uma mulher forte que perdera contato com suas capacidades e possibilidades. Uma vez que ela pôde se apossar delas, não precisou mais de relacionamentos tipo "muleta": pôde se divorciar, administrar sua vida, suas contas, sua casa.

Finalmente, gostaria de mencionar os *sintomas* que também podem sinalizar relações figura/fundo. Embora eles possam remeter-nos a categorias nosológicas, é necessário compreender a serviço de quê eles se constituíram e se mantêm. O sintoma pode ser uma forma, às vezes dramática, de expressar uma necessidade muito profunda que, por alguma razão, não pôde ser expressa de outra maneira – é um grito silencioso de socorro que precisa ser cuidadosa e respeitosamente ouvido. Revela um dos muitos paradoxos humanos: o de que evitar o sofrimento gera sofrimento. No funcionamento não saudável, os sintomas podem ter função compensatória, indicando um desequilíbrio. Talvez eles revelem, metaforicamente, o que a pessoa não pode dizer.

Às vezes, lido com o sintoma como se fosse algo completamente desconhecido para mim, como se eu não soubesse a que o cliente está se referindo. Posso pedir a ele que descreva o sintoma, que se identifique com ele e lhe dê voz; outras vezes, pergunto-me em fantasia o que o sintoma faz para aquele paciente, a serviço de quê aquele paciente tem tal sintoma, o que este favorece ou dificulta.

Há algum tempo, um gastroenterologista indicou um paciente que tinha constantes diarreias e perdia peso com rapidez. Na ocasião em que foi encaminhado para realizar psicoterapia comigo, estava tomando cortisona e seu médico temia que nada mais pudesse ser feito. Ao longo do trabalho terapêutico, a natureza compensatória desse sintoma foi se tornando clara. Ele apresentava awareness de má qualidade de seus sentimentos e, portanto, não podia contatá-los nem expressá-los. Além disso, em função do cargo que ocupava, achava que tinha de manter um relacionamento distante com seus subordinados. À medida que transcorreu a terapia, percebemos que isso lhe causava irritação e insatisfação. Sua "merda", metaforicamente, indicava sua necessidade de expressar seus sentimentos, e sua diarreia apontava para a única maneira possível, para ele, de fazê-lo – uma forma disfuncional e perigosa de se livrar dos conteúdos que o intoxicavam. Algum tempo depois, tendo percebido seus sentimentos, ele pôde buscar meios novos e mais funcionais de se expressar. Um deles foi começar a pintar e a fazer vitrais.

É importante ressaltar que não se pensa diagnosticamente com apenas um ou outro elemento; o caminho para o pensamento diagnóstico processual não é linear nem igual com todos os clientes ou em todos os momentos do processo terapêutico. Todos esses elementos (os impactos, as omissões, as associações espontâneas, as repetições, os sintomas etc.) se entrecruzam e podem ocorrer ao mesmo tempo. São sinais que indicam possíveis relações figura/fundo e sugerem hipóteses diagnósticas que aguçam a observação e a discriminação do Gestalt-terapeuta.

Desejo reiterar que o pensamento diagnóstico processual não envolve apenas os aspectos disfuncionais do paciente. É igualmente importante atentar para os aspectos funcionais: as forças, os recursos, os sucessos em diferentes áreas, as potencialidades, as capacidades, as qualidades, a energia etc.

Pensar o diagnóstico em termos gestálticos implica pensar em processo, em relações de relações (pensamento dialético); sobretudo, implica *compreender* (aprender com), alicerce central do relacionamento terapêutico.

Assim, o pensamento diagnóstico processual demanda uma atitude cuidadosa com o paciente, buscando, por meio de uma relação respeitosa e amorosa genuína, resgatar sua possibilidade de se relacionar de forma autêntica e criativa com o ambiente, a fim de possibilitar o intercâmbio nutritivo no campo interacional e o resgate de seu lugar legítimo no mundo.

REFERÊNCIAS BIBLIOGRÁFICAS

DELISLE, G. *A Gestalt perspective of personality disorders*. Gouldsboro: Gestalt Journal Press, 1995.

FRAZÃO, L. M. "A compreensão do funcionamento saudável e não saudável a serviço do pensamento diagnóstico em Gestalt-terapia". *Revista do V Encontro Goiano de Gestalt-terapia*, n. 5, 1999, p. 27-34.

KOFFKA, K. *Princípios de psicologia da Gestalt*. São Paulo: Cultrix/Edusp, 1975.

LATNER, J. *The Gestalt therapy book*. Nova York: Julian Press, 1973.

PERLS, F. *The Gestalt approach and eye witness to therapy*. Palo Alto: Science and Behavior Books, 1973.

PERLS, F.; HEFFERLINE, R.; GOODMAN, P. *Gestalt-terapia*. 3. ed. São Paulo: Summus, 1998.

ROGERS, C. R. *Psicoterapia centrada en el cliente*. Buenos Aires: Paidós, 1972.

TOBIN, S. A. "Self-disorders, Gestalt therapy and self psychology". *The Gestalt Journal*, v. V, n. 2, 1982, p. 3-44.

5
As técnicas em Gestalt-terapia

MAURO FIGUEIROA

Meu primeiro contato com a Gestalt-terapia foi em um grupo que havia se reunido para uma demonstração. Alguns dos participantes comentaram a ausência de uma colega e sugeriram que a aguardássemos. Outros argumentaram que era melhor começarmos sem ela. A coordenadora disse que poderia esperar ou começar, conforme a decisão do grupo. Seguiu-se uma calorosa discussão. Um dos argumentos para que a esperássemos era o de que ela perderia uma parte do trabalho, o que não seria justo.

O grupo estava num impasse, mas a intensidade do confronto foi diminuindo e cedendo lugar a colocações menos intransigentes. Isso acontecia à medida que percebíamos em nós mesmos o conflito entre esperar ou começar. Ao mesmo tempo, foi surgindo, aos poucos, a consciência de que já estava acontecendo uma experiência importante da qual a nossa colega ausente jamais poderia participar. Aqueles que obtinham esse *insight* já não viam sentido em tomar qualquer decisão: ficava claro que o trabalho já havia iniciado.

O processo culminou com a chegada da ausente, que perguntando se havia perdido alguma coisa ouviu da coordenadora que perdera a melhor demonstração de Gestalt que ela poderia fazer naquela circunstância.

Aconteceu algo ali; para aqueles que viveram a situação, o *insight* foi pungente. Acredito que a própria coordenadora viveu esse processo. Aquilo nos surpreendeu de formas diferentes, mas com um ponto em comum – a importância da experiência presente.

Essa é a pedra angular da Gestalt-terapia: dar-se conta do que está acontecendo na situação, consigo e no ambiente. Como diz Perls (1977b, p. 38),

> existe uma única coisa que deve controlar: a situação. Se você compreender a situação em que se encontra, e deixá-la controlar suas ações, então aprenderá como lidar com a vida. [...] Quanto menos confiança tivermos em nós mesmos, quanto menos contato tivermos com nós mesmos e com o mundo, maior será nosso desejo de controle.

Não se trata de assumir uma postura passiva, embora muitas vezes assim pareça. Não tenho dúvida de que a postura e o modo da coordenadora de reagir àquela situação permitiram que o processo não só tivesse continuidade como, também, que boa parte das pessoas presentes percebesse o que acontecia. Ela, sem dizer o que fazia nem saber no que resultaria, com sua escuta cuidadosa e confirmadora, sua expressão compreensiva e atenciosa, colocou uma moldura vazia sobre o que se passava. A moldura acolhia e realçava o que estava lá, de modo que muitos de nós pudemos perceber. Isso é técnica em forma de experimento.

A clínica, a relação psicoterapêutica e o manejo em Gestalt-terapia

Na situação terapêutica, respondo de acordo com alguns princípios. Atualmente, com a minha experiência, sei que não se trata de aplicar uma técnica ou formular um experimento, mas de aproveitar a situação da melhor forma possível, visando ao desenvolvimento da *awareness* da experiência presente para o cliente.

O melhor é ir descobrindo o jeito e o caminho, as duas coisas se dão juntas; o jeito tem que ver com o meu repertório, com aquilo que eu já sei. O caminho é o que se apresenta, inesperado e, muitas vezes, inóspito e estranho. Esse desconhecido me obriga a responder a ele e a buscar o possível em cada situação. Surgem novidades, coisas que eu não só não sabia como nem imaginava que poderiam funcionar ou não. Afinal, nem tudo dá certo, e o que não dá certo não deixa de ser uma experiência aproveitável.

O imprevisto faz parte, sobretudo, porque se trata de um método experiencial e experimental. Somente depois é possível avaliar os resultados; no presente imediato, temos de nos deixar ir, sob pena de ficarmos empacados. Às vezes, parece que não aconteceu nada significativo na sessão e depois ficamos surpresos com os efeitos que um gesto ou uma palavra teve.

No trabalho citado, a coordenadora não poderia prever aquela situação. Ela certamente tinha pensado em algo para fazer com o grupo, mas, percebendo o que acontecia, soube aproveitar a oportunidade.

É difícil perceber o que está acontecendo, o óbvio da situação. Muitas vezes, as cartas nas mangas servem apenas para se manter na situação até que alguma possibilidade melhor se apresente.

A técnica ou experimento tem de estar sempre a serviço do processo terapêutico do cliente, isto é, promovendo *awareness*, contato e fluidez na formação de *Gestalten*. Uma vez ativados esses elementos, os ajustamentos criativos são inevitáveis, pois a todo contato realizado a configuração muda e terapeuta e cliente já não são os mesmos.

O processo terapêutico se desenvolve de forma paradoxal: cada repetição é uma oportunidade para a novidade, e captar essa novidade sempre é o principal acontecimento. Mas, para que isso ocorra, é preciso esperar atenta, paciente, ativa, distraída, intensa e perdidamente, acreditando que há sempre algo acontecendo, mesmo quando parece não acontecer nada.

Certa vez, trabalhando um sonho com um cliente, utilizamos muitas técnicas (presentificação, identificação e diálogo das partes, edição do sonho). O tempo da sessão estava se esgotando e, embora tivéssemos feito muitas coisas, sabíamos que continuávamos de mãos vazias. Quando íamos nos despedir, notando que ele pigarreava, perguntei: "O que você tem na garganta?" De imediato, ele respondeu: "Não tenho nada na garganta, por quê?" Eu disse: "É que você passou o tempo todo pigarreando, como acabou de fazer agora". Então ele fez cara de espanto, seus olhos se iluminaram e, levando as mãos à cabeça, exclamou: "Caramba! Como não percebi isso antes?"

Tive de prolongar a sessão até que o jorro de lembranças e sentimentos terminasse e fosse minimamente contemplado para que ele pudesse ir embora.

Passamos a sessão toda utilizando técnicas na exploração do sonho, de tal forma envolvidos naquela investida que, embora já tivesse notado que ele pigarreava, aquilo não se afigurou para mim nem para ele. Só depois que nos desinvestimos do trabalho com o sonho é que, notando novamente o seu pigarrear, ocorreu-me perguntar, mas nem imaginava que aquilo tinha relação com o material do sonho – e foi assim, sem querer, que acionamos a peça-chave na reconfiguração que se fez.

Foi uma técnica? Sim e não. Chamar a atenção para o que o corpo manifesta é uma técnica, mas fiz isso com uma curiosidade prosaica. Eu não tinha intenção de nada, não sei se se o fizesse como técnica, no decorrer da sessão, teria o mesmo efeito – talvez não. É provável que o mesmo estado de desinteresse técnico-produtivo que permitiu dar a devida atenção ao fato também tenha possibilitado ao cliente realizar o contato; desprevenidos, terapeuta e cliente, surpreendemo-nos.

Acredito que as técnicas, mesmo quando utilizadas como exercício, podem ser úteis, embora o seu principal potencial só se realiza quando emergem da situação presente, e, muitas vezes, até passam despercebidas, como nos casos descritos. Na maior parte das vezes, não deliberamos a realização de um experimento ou a utilização de uma técnica.

Trata-se de uma questão delicada, mesmo porque as técnicas são instrumentos e, como tais, foram criadas e desenvolvidas por terapeutas e clientes em trabalho, o que não esgota o surgimento de outras. Até certo ponto, precisamos redescobrir a roda, pois, embora o arsenal de técnicas seja amplo, a singularidade de cada situação exige uma roda própria, no sentido da propriedade que ela possa ter ali.

Nos processos de psicoterapia individual, a questão tem mais destaque porque a relação terapeuta-cliente é fundamental, implicando sempre uma qualidade interativa em que o

MAL-ENTENDIDOS

A técnica na Gestalt-terapia é marcada, historicamente, por uma posição ambivalente: de um lado, ela foi um dos elementos de destaque da abordagem, pelo que trazia de novo no campo das psicoterapias; de outro, esse mesmo apelo novidadeiro e instigante da técnica acabou por ofuscar os elementos teóricos fundamentais que lhe davam sustentação e, de fato, diferenciam a Gestalt-terapia de outras abordagens.

A ambivalência começa no próprio ato inaugural da Gestalt-terapia. Sua obra batismal, *Gestalt therapy*, é composta de duas partes (a edição brasileira só contém a seção teórica). A primeira é uma proposição de exercícios para os leitores praticarem visando ao próprio desenvolvimento de *awareness*, enquanto na segunda se apresenta a teoria. Embora a grande importância da obra seja a formulação teórica, ela ficou secundária à parte prática de exercícios.

Além disso, Perls não era muito afeito à sistematização teórica; é sabido que, embora as ideias originais da teoria fossem dele, foi Paul Goodman quem as desenvolveu e deu corpo à obra. Como todo pai orgulhoso, Perls saiu exibindo a cria, mostrando o que ela tinha de mais atraente, sua vivacidade, seu frescor, sua novidade. O corpo teórico sistematizado não era o que o movia, mas sua potencialidade prática – que ele muito bem sabia demonstrar.

Foi no período em que residiu e ensinou em Esalen que Perls conquistou fama, principalmente nos seminários dedicados a apresentar e demonstrar a Gestalt-terapia. A grande ênfase se dava na exibição prática que causava forte impressão nos participantes pelos efeitos que Perls, com sua brilhante habilidade clínica, produzia. É importante ressaltar que se tratava de um tipo muito específico de público: psicoterapeutas experientes e, inclusive, já muito terapeutizados.

Foi desses seminários que saiu o material publicado sob o título *Gestalt therapy verbatim* (1969) – em português, *Gestalt-terapia explicada*. A obra consistia na transcrição do que fora gravado e filmado nos *workshops* vivenciais em Esalen. Esse livro, que sucedeu o *Gestalt therapy*, é de fácil leitura e logo se tornou uma publicação bem-sucedida, deixando em muitos uma impressão confusa sobre o estilo marcante de Perls e a Gestalt-terapia.

A obra *Awareness* (1971) – em português, *Tornar-se presente* –, de John O. Stevens, teve papel importante na ênfase às técnicas em detrimento do conjunto teórico. Consiste em um resumo de exercícios e técnicas que podem ser realizados de vários modos: individualmente, em grupos, em psicoterapia ou em outros contextos. A facilidade com que o autor dispôs de uma grande variedade de técnicas não só atendeu a uma demanda de mercado como colaborou para um entendimento limitado da abordagem, que passou a ser vista como mera aplicação de técnicas.

Não podemos ignorar o contexto histórico. Nos Estados Unidos, muitos movimentos contrários ao *establishment* eclodiam. A eles se denominou genericamente de contracultura, que compreendia manifestações diversas, como o feminismo, o pacifismo, a cultura *hippie*, o movimento negro, o ativismo gay, o orientalismo etc.

A Gestalt-terapia surge em meio a um caldo de cultura que privilegiava a ação; essa era a figura, as ideias ficavam de fundo. Os símbolos marcantes desses movimentos ficavam representados em atos e atitudes de impacto que implicavam uma sinergia contagiante. Poucos se atinham aos seus significados filosófico, histórico e ideológico, que nem sempre faziam parte desses processos.

Perls era um atuante. Seu grupo de convívio em Nova York era o de artistas de vanguarda que se posicionavam criticamente ao *status quo*. Ele se identificava com essa atitude subversiva, irreverente, anárquica, contestatória e libertadora dos velhos padrões, e preferiu a corrente alternativa à acadêmica para propagar a Gestalt-terapia.

Na introdução do livro *Gestalt-terapia explicada* (1977b, p. 16), Perls diz:

> [...] Como vocês sabem, existe uma rebelião nos Estados Unidos. Nós descobrimos que produzir coisas, viver para coisas, e trocar coisas, não é o sentido fundamental da vida. Descobrimos que o sentido da vida é que ela deve ser vivida e não comercializada, conceituada e restrita a um modelo de sistemas. Achamos que a manipulação e o controle não constituem a alegria fundamental de viver.

Fica evidente, nesse e em outros comentários de Perls, um alinhamento da abordagem com os movimentos sociais e culturais emergentes que ia muito além das influências que o pensamento anarquista teve no desenvolvimento teórico, soando como se a própria Gestalt-terapia fosse uma espécie de militância, de doutrinação que, muitas vezes, adotava um

A clínica, a relação psicoterapêutica e o manejo em Gestalt-terapia

discurso de tom panfletário, como parece o caso da "Oração da Gestalt-terapia" (Stevens, 1977, p. 17).

Essa condição tornou a abordagem conhecida para além dos circuitos restritos originais, o que sem dúvida atraiu grande interesse e fortaleceu o seu crescimento. No entanto, alguns mal-entendidos daí derivaram, sendo o principal deles a ideia de que a Gestalt-terapia consistia em aplicação de técnicas. Além disso, houve uma confusão entre o que era específico do estilo de Perls trabalhar e o que caracteriza a Gestalt-terapia.

Até Perls, depois de estabelecido no Canadá, manifestou essa preocupação, como comenta Robert S. Spitzer no prefácio do livro *Abordagem gestáltica e testemunha ocular da terapia* (Perls, 1977a, p. 8): "Fritz tornou-se cada vez mais preocupado, porque muitos terapeutas estavam copiando suas técnicas, com uma compreensão muito limitada da sua teoria global".

AS TÉCNICAS

O propósito da terapia gestáltica é, primeiramente, desenvolver a *awareness*. É a partir dela que as obstruções no processo de formação de figura-fundo são superadas, possibilitando o reestabelecimento dos ajustamentos criativos pelos quais a autorregulação organísmica se atualiza.

Para Perls (1977b, p. 34), *awareness* é o ponto central de todo o processo de restauração do equilíbrio do organismo para um funcionamento adequado:

[...] a tomada de consciência em si – e de si mesmo – pode ter efeito de cura. Porque com uma tomada de consciência completa, você

Lilian Meyer Frazão e Karina Okajima Fukumitsu (orgs.)

pode tornar presente a autorregulação organísmica, pode deixar o organismo dirigir sem interferência, sem interrupções; podemos confiar na sabedoria do organismo.

O funcionamento neurótico é aquele no qual uma parte do comportamento já não cumpre a função de atender às emergências do campo organismo/meio; ao contrário, destina--se ao controle de tais emergências, ou melhor, ao controle da *awareness* – por meio do seu enfraquecimento, de interrupções e da consequente alienação de partes de si mesmo. O prejuízo daí resultante torna o processo de autorregulação organísmica insuficiente, aumentando a dependência de uma regulação externa (Yontef, 1998).

Chamamos de técnica o aparato instrumental operacional com que a metodologia fenomenológica de *awareness* é realizada na Gestalt-terapia e pode ser utilizada em exercícios e experimentos. Os exercícios são procedimentos nos quais os recursos técnicos visam a objetivos previamente definidos, como explorar uma das funções de contato (audição, visão, tato, olfato, paladar), observar a respiração etc. Em geral, são utilizados em treinamento de profissionais e podem ser realizados inclusive independentemente da terapia, pois são autoaplicáveis. Já os experimentos se constituem a partir de uma figura emergente na situação terapêutica, orientando-se de acordo com o que sucede, sem um fim determinado.

Há um consenso sobre algumas recomendações gerais para o desenvolvimento do trabalho gestáltico: O'Leary (1992) destaca dois tipos de recursos favorecedores de *awareness*: verbais e não verbais. Os verbais envolvem procedimentos como: utilizar o pronome "eu" em vez de "a gente", "as pessoas", "nós" etc.; não utilizar expressões vagas como "talvez", "eu suponho", "quem sabe", "acho que", "provavelmente" etc.; trocar "não posso" por "não quero", bem como "eu deveria" ou "tenho de" por "eu escolho" ou "eu quero"; fazer colocações específicas em vez de generalizações e racionalizações; transformar perguntas em afirmações; favorecer o "como" no lugar do "por quê". Tais procedimentos promovem responsabilidade com os pensamentos, sentimentos e ações, aumentam o contato com a experiência vivida e ampliam a *awareness*.

Entre os recursos não verbais, a autora destaca: identificar e localizar no corpo sensações e sentimentos, descrever como os experiencia e permanecer em contato; utilizar linguagem artística para expressá-los – como cantar, dançar, desenhar, esculpir, representar etc. O terapeuta pode oferecer *feedbacks* corporais, ajudando o paciente a entrar em contato com partes ignoradas ou evitadas.

Tais sugestões servem como uma espécie de guia prático de orientação geral para o trabalho e ficam subentendidas nas solicitações que o terapeuta faz ao cliente.

No entanto, sabemos que recomendações podem facilmente ser tomadas como regras e acabam por engessar o processo, dificultando sua expressão espontânea. Por exemplo, falar na primeira pessoa ao mesmo tempo presentificando o que é dito pode ser algo tão difícil para o cliente que, se o terapeuta for muito insistente nisso, não só dificultará que o cliente expresse o que quer dizer como não promoverá a autorresponsabilidade com o que expressa.

Se formos radicalmente coerentes com os princípios da Gestalt-terapia, a única regra possível é: não siga regras, tudo é exceção. O sentido existencial de ser único, da singularidade do encontro e do destinar-se ao desconhecido se contrapõe a qualquer pressuposto – e toda regra é um pressuposto.

Outro fator relevante quanto à utilização de técnicas é o estilo pessoal de trabalhar do terapeuta. Cada profissional tem um jeito próprio que privilegia certos tipos de técnica – alguns são mais corporais, outros mais verbais; alguns são mais propensos a utilizar recursos artísticos, outros priorizam determinado tipo de técnica. Perls, por exemplo, tinha uma predileção pela cadeira vazia.

EXPERIMENTO

O experimento é o instrumento mais nobre no trabalho gestáltico, pois seu desdobramento em geral inclui algumas das intervenções técnicas mais comuns da Gestalt-terapia. O experimento sempre implica uma emergência da situação, sendo sempre original.

Ele é construído na situação e a partir dela, envolve diretamente a participação do cliente como um coautor e, ao final, resulta em uma obra acabada, com um valor estético próprio que quase sempre impacta pela novidade que em si mesmo revela. No entanto, como coloca Zinker (2007, p. 144), "o experimento não é um evento monolítico que resolve um problema central e o prepara como um lindo embrulho, na elegante estrutura de uma sessão".

Em geral, é o terapeuta que convida o cliente ao experimento a partir de um tema emergente – um assunto, um gesto, uma fantasia etc. Ele sugere uma experiência, isto é, um modo de explorar o tema, fazendo algo com aquilo que não seja só

A clínica, a relação psicoterapêutica e o manejo em Gestalt-terapia

falar sobre. A fim de obter elementos suficientes para a formulação do experimento, o terapeuta pode utilizar recursos como: perguntar ao cliente sobre a sua necessidade naquela situação; perguntar o que quer fazer com o tema emergente; pedir que entre em contato com suas sensações e seus sentimentos; sugerir que preste atenção no ambiente, olhando para as pessoas à sua volta. Além disso, o terapeuta pode aproveitar sinais que lhe chamem a atenção na expressão, na postura corporal ou até mesmo no clima do grupo, e explorar isso como uma possibilidade de prosseguimento.

A prioridade é formular o experimento com base nos dados que surgem na interação entre o terapeuta e o cliente. Quando isso não for suficiente, o profissional propõe uma ação específica baseada em uma hipótese que tenha formulado com sua compreensão clínica. Nesse caso, sempre há o risco de ela não ser aceita pelo cliente ou de este não conseguir mobilizar energia suficiente para realizá-la com envolvimento e sentido.

Se isso acontecer, pode-se recomendar que ele permaneça um tempo em contato com o material mobilizado, podendo retomar o trabalho em outro momento. Dependendo do cliente, é necessário ir aos poucos, dando-lhe tempo para amadurecer. Diz Zinker (2007, p. 149):

> Em todo processo de aprendizagem existem a questão do preparo e a noção da oportunidade, o *timing*. Se a pessoa não consegue utilizar algum tempo estabelecendo o campo em que o experimento poderá ser adequadamente implementado, o cliente não aprenderá muita coisa nem se recordará de resultados substanciais dessa experiência.

Como sempre, é importante avaliar as condições de suporte do cliente, do terapeuta e, se for o caso, do grupo. Neste, a capacidade de continência para determinado tema tem grande relevância. Sabemos, pela concepção de campo, que o tema que emerge com um protagonista também diz respeito ao grupo; além disso, pode mobilizar e desencadear processos em outros membros. Quando isso acontece concomitantemente a um experimento em andamento, o grupo muitas vezes reage de modo espontâneo, dando acolhimento e apoio a emergências paralelas; quando não, o próprio terapeuta pode eleger alguém que julgue mais disponível e apto a dar atenção e acompanhamento à situação enquanto prossegue com o protagonista.

A avaliação do suporte do cliente, ou autossuporte, é fundamental para graduar a dificuldade possível para ele e, assim, propor ações mais suportáveis ou mais desafiadoras. É recomendável começar o trabalho pelo que se mostra mais egossintônico (aspectos de maior identificação) e, a partir daí, avançar em direção aos elementos egodistônicos (aspectos mais alienados da personalidade).

Também cabe ao terapeuta avaliar e, quando achar necessário, checar com o cliente se ele quer dar continuidade ou não ao experimento. Como este se desenvolve em etapas, uma consulta sobre a sua disponibilidade pode ajudar a encontrar a medida mais adequada para a assimilação do que está sendo experimentado, minimizando o risco de uma carga experiencial excessiva que impeça a metabolização do que foi vivido.

É importante também identificar onde o cliente tem mais energia mobilizada, o que pode ser notado na qualidade expressiva verbal e corporal. Zinker (2007, p. 157) aponta: "Quando trabalho com um cliente, presto atenção nos pontos

A clínica, a relação psicoterapêutica e o manejo em Gestalt-terapia

em que seu organismo está ativado, onde está vibrando. Assim que localizamos essa fonte de autossuporte, ele pode trazer essa excitação para nosso encontro". Essas referências se atualizam passo a passo e favorecem o desenvolvimento do experimento.

É comum, nos grupos, após um experimento mais intenso, que os demais participantes sintam necessidade de comentar o que presenciaram e como se sentiram tocados. Trata-se de uma necessidade legítima que pode ajudar o protagonista a ter uma noção mais ampla do alcance, da pertinência e da importância do que foi trabalhado. Por outro lado, talvez ofusque os seus *insights* e atrapalhe o seu processamento, cabendo ao terapeuta checar e dosar esse *feedback*. É responsabilidade do terapeuta estimular uma fala apropriada da experiência e não interpretativa.

Para melhor compreensão do que vimos até aqui, apresento um experimento desenvolvido em contexto grupal, no formato de *workshop*.

Comecei o trabalho solicitando aos presentes que explicitassem como estavam se sentindo naquela situação. Como era um grupo de *workshop,* de encontro único, tal procedimento visava obter informações sobre a configuração grupal inicial, situando a mim e aos participantes. Além disso, funcionava como um primeiro estímulo para o exercício da *awareness*.

Raramente proponho um trabalho nessa fase inicial; manifesto-me sobre o que é dito com alguma expressão inicial e acolhedora – um comentário ou simplesmente um gesto de confirmação, como um movimento de cabeça –, demonstrando que estou prestando atenção. Entendo que, nesse primeiro momento, é importante que cada um se sinta acolhido, marque presença e seja confirmado no seu jeito de se apresentar.

No entanto, nesse caso específico, como todos os participantes já tinham se colocado e a última pessoa a falar trouxe uma questão relevante, considerei que já tínhamos alguma base para irmos além. Ela disse que estava achando o grupo muito crítico e isso a intimidava; tinha receio de se mostrar e ser criticada. Perguntei-lhe por que ela achava isso. Respondeu-me que não fora nada em particular, somente uma impressão que ficou depois de ouvir o grupo. Perguntei o que ela gostaria de fazer com aquilo, ao que ela respondeu dizendo que queria pedir ao grupo para não criticá-la.

Nesse ponto, surgiram-me duas possibilidades: uma, dizer a ela que fosse em frente e fizesse o pedido ao grupo; outra: pedir que assumisse sua própria crítica ao grupo. Avaliei que talvez ainda não tivéssemos, eu, ela e o grupo, uma qualidade de suporte suficiente para trabalhar diretamente com aquele tipo de material projetado e optei pela primeira possibilidade – que sem dúvida era a mais segura.

Sugeri, então, que fizesse seu pedido ao grupo, o que ela fez de forma generalizada e com pouco contato; propus que fosse um pouco além, que se aproximasse de cada um e dissesse: "Eu o considero crítico e peço que não me critique". Ela fez exatamente isso com a primeira e a segunda pessoa. Quando abordou a terceira, notando que ela estava simplesmente seguindo o *script* e cumprindo a tarefa sem envolvimento, pedi que ficasse um pouco em contato, olhasse para o outro e verificasse como aquilo a afetava. Ela olhou para a colega e, depois de permanecer em silêncio, comentou: "Não acho que você seja crítica, então não faz sentido pedir que não me critique" (achando graça).

Nesse momento, a cliente se deu conta de que estava fazendo uma generalização que não correspondia à realidade:

A clínica, a relação psicoterapêutica e o manejo em Gestalt-terapia

percebeu que o grupo era composto por pessoas diferentes e que nem todas se encaixavam em sua pressuposição.

Sugeri a ela que dissesse o que percebia naquela pessoa e transformasse aquilo em um pedido. Ela disse que a achava amável e gostaria de ter sua atenção.

Estimulei-a a prosseguir com os demais. Ao dizer ao colega seguinte que o achava crítico e pedir-lhe para não criticá-la, ele respondeu: "Certamente sou um pouco crítico e não vejo mal nisso, como não vejo mal em você me criticar agora". A mulher rebateu dizendo que aquilo não era uma crítica, ao que ele respondeu que foi assim que sentiu quando ela se manifestou. Ela disse que não era sua intenção, mas reconheceu que o fizera sentir-se assim.

Intervi esclarecendo que não fora ela quem o fizera se sentir assim, ele se sentira assim com o que ela fizera. Ela respondeu que, mesmo assim, reconhecia que tinha feito uma crítica e notara que nem sempre uma crítica tem má intenção. Pedi que dissesse isso diretamente a ele. A mulher voltou-se para o colega e afirmou: "Você tem razão, eu o critiquei, mas não foi por mal. Eu sabia que sou muito crítica comigo, mas agora vejo que sou assim também com os outros. Agradeço a você por me dizer".

Perguntei-lhe, então, se queria continuar e ela disse que preferia se recolher um pouco, para digerir aquilo. Percebi que o tema dela havia mobilizado bastante o grupo. Assim, indaguei se ela queria ouvir alguns depoimentos, com o que ela concordou. Abri para quem quisesse se manifestar, alertando que não era o caso de falar dela, mas de si mesmo – julguei isso necessário para respeitar o pedido de recolhimento da cliente. Muitas pessoas expressaram a sua identificação com ela, em relação ao medo do olhar crítico – e puderam também perceber como isso se relacionava com o seu criticismo. Os temas confiança e continência foram evidenciados e serviram para o trabalho posterior com o grupo todo.

Entendi que ela avançou até se dar conta de sua projeção. Minha escolha inicial se mostrara correta. Com sua decisão de não continuar, ficou claro que aquela era a sua possibilidade de suporte naquele momento. Parti do que me pareceu mais viável, mais próximo, e como estávamos ainda muito no início imaginei que as pessoas a acolheriam, tranquilizando-a em relação ao seu medo. Mas a resposta autêntica e franca do colega evidenciou para ela o que ela estava fazendo. Naquele momento, ela teve *awareness* de como estava crítica e a projeção se desfez.

Cabe uma observação: os experimentos em grupo oferecem uma potencialidade, sobretudo quando envolvem uma interação com os demais: a possibilidade de a resposta do outro surpreender e revelar o que se passa. O grupo compõe um campo interativo que vai muito além de cada um, mas sempre a partir de cada um e de todos.

HOT SEAT

O *hot seat* remete à forma como Perls conduzia os trabalhos nos grupos: uma cadeira disposta à sua frente era o lugar a ser ocupado por quem quisesse trabalhar. O trabalho era feito exclusivamente com a pessoa que ocupasse tal lugar, permanecendo o grupo como uma espécie de auditório, sem participação ativa na situação. Daí o nome que, em tradução literal, significa "assento quente".

Hoje, muitos Gestalt-terapeutas optam por um modelo no qual o grupo é mais incluído, mesmo quando o trabalho se desenrola no modelo um a um. Um jeito de promover a inclusão do grupo é começar o trabalho com a pessoa no lugar onde ela já se encontra. No decorrer do experimento, se surgir a necessidade de se movimentar, de mudar de lugar ou de se aproximar de outras pessoas ou do terapeuta, isso será feito em decorrência do processo em andamento, e não como ponto de partida.

Uma das vantagens desse modo é, além de permitir uma interação maior entre os membros do grupo, inclusive como participantes do experimento, facilitar que o protagonista tome uma iniciativa. Muitas vezes, o grupo começa com uma conversa aberta entre as pessoas e uma das falas se configura como tema a ser explorado. O fato de ela falar do "seu lugar" fornece uma sensação de mais segurança para correr o risco de tornar-se o centro das atenções. O indivíduo está ao lado de pessoas com as quais já estabeleceu algum contato e, principalmente, em um lugar comum aos outros.

CADEIRA VAZIA

Nessa técnica, uma cadeira ou uma almofada são destinadas a ser ocupadas por uma representação. Podem ser personagens de alguma situação inacabada, aspectos polares da personalidade, aspectos projetados ou qualquer outra possibilidade de dissociação e conflito. Tal representação se dá na forma de um diálogo que o cliente estabelece com a outra parte, intercambiando os papéis, mudando de lugar. Para que esse recurso ganhe potência, é fundamental o acompanhamento do terapeuta no que diz respeito ao envolvimento do cliente com o papel representado. O profissional deve apontar aspectos incongruentes da sua expressão verbal e corporal. Quando o cliente se envolve de forma plena, os papéis ganham vida própria, surpreendendo o cliente-ator que, dessa forma, entra em contato com material novo que pela *awareness* é reintegrado.

REPRESENTAÇÃO

Diferentemente da cadeira vazia, na qual a representação está a serviço do diálogo entre partes, a representação pode ser utilizada como um meio em si, isto é, pode-se representar uma situação complicada, um sonho, um papel no qual o cliente sinta-se inseguro. Trata-se de uma técnica muito versátil, que pode ser aplicada somente pelo cliente de forma simples. Por exemplo: o terapeuta pede ao cliente que represente uma situação à qual ele se refira, construindo uma escultura usando o próprio corpo ou objetos disponíveis na sala.

Com grupos, é possível envolver outros participantes por meio da dramatização, na qual o protagonista possa trocar de papéis, entrando e saindo da situação para explorar outras perspectivas de sua dificuldade. Por exemplo: um cliente que se sente acovardado em situações de confronto com outros homens sem nunca ter vivido uma situação assim pode explorar esse tema com a ajuda do grupo, em um experimento em que seja provocado e possa reagir e também ser o provocador. Mesmo sendo a situação simulada, é uma base experiencial bem diversa de suas fantasias, que permitem um pouco mais de contato e *awareness* daquilo que evita.

IDENTIFICAÇÃO

A técnica de identificação consiste em se apresentar como objeto, sentimento, sensação, imagem ou mesmo outra pessoa, sempre articulando na primeira pessoa, falando de suas características, suas qualidades, sua estética, suas funções, sua existência etc.

Seu potencial depende muito da capacidade imaginativa e criativa do cliente. O objeto de identificação serve apenas como tela projetiva, mas o que estará em foco não é o seu conteúdo simbólico; embora ele possa, mais tarde, ser aproveitado, o que importa é a *awareness* da experiência vivida, que dá sentido àquilo que surge.

EXAGERAÇÃO

Trata-se de outra técnica clássica da Gestalt-terapia. É um tipo de intervenção que exige muita acuidade por parte do terapeuta – afinal, é ele quem diz o que deve ser exagerado, e essa eleição é determinante para o resultado do processo. Em geral, é utilizada na exageração de algo cristalizado, tal como um sintoma, um automatismo ou qualquer coisa que seja identificada como ponto de interrupção e recorrência. Consiste em pedir que o cliente intensifique o que sente ou o que está fazendo. A ideia é que, para intensificar, ele poderá entrar em contato com o modo como faz aquilo, sendo então a *awareness* inevitável.

Exemplo de um experimento no qual foram utilizadas as técnicas de exageração e identificação:

O cliente fala, lentamente e bem baixinho, sobre sua dificuldade de fazer o que se propõe. Menciona seu desânimo e acrescenta que, mesmo quando consegue romper a inércia e realizar a tarefa, não sente interesse ou satisfação em fazê-lo.

Pergunto se é assim que está se sentindo na sessão, ele responde que ali se sente um pouco diferente, sente um pouco de tensão e desconforto em se expor. Pergunto que partes do corpo estão tensas, ele reconhece tensão nos ombros, no estômago e na garganta. Pergunto como sente a tensão na garganta, ele comenta que é como se tivesse um nó e, ao falar, ela raspasse.

Pergunto como ele percebe a sua voz. Ele diz: "É baixa, fraca e hesitante". Sugiro que experimente enfraquecê-la ainda mais e observar como faz isso. Ele começa a falar mais baixo e eu o estimulo a ir em frente, até onde seja possível. Ele vai em frente e comenta, quase sussurrando e gaguejando de leve, que sente desconforto ao fazer aquilo, que se sente meio ridículo e já não tem o que dizer.

Sugiro que comece, devagar, a fazer o caminho inverso, aumentando aos poucos o volume da voz e observando o processo. Ele continua falando: "Agora estou falando um pouco mais alto, agora eu continuo aumentando o volume". Estimule-o a exagerar e ele diz que não sabe mais o que falar; sugiro que diga: "Eu sou a minha voz". Ele repete a frase duas vezes (bem alto).

Digo que está tudo bem e pergunto como se sente. Ele diz que está com calor e aliviado, como se tivesse terminado de fazer um grande esforço. Pergunto se ele quer continuar um pouco mais com aquilo e ele diz que sim. Sugiro-lhe falar na primeira pessoa, como a sua voz falando de si mesma. Ele diz: "Agora estou mais forte e firme, mas o meu jeito mais comum é ser fraca e contida, eu tenho vergonha e medo de que me notem e me desprezem, por isso eu me encolho, é como se não quisesse ser notada" (chora).

Pergunto o que está acontecendo e ele diz que se lembrou de que, quando pequeno, era atendido por uma fonoaudióloga e seus colegas na escola gozavam dele, dizendo que ele não sabia falar. Mas ele não percebia o que havia de errado – imaginava que, quando falava, os outros ouviam algo que ele não ouvia.

Pergunto se ele topa fazer uma representação daquela situação e ele concorda, mas afirma que antes precisa falar um pouco sobre o assunto. Digo: "Tudo bem, vamos conversar um pouco, noto que a sua voz está mais vibrante, mais sonora". Ele: "É, eu estou ligado nela, parece que descobri o botão de controlar o volume". Eu (em tom de brincadeira): "Acho que você descobriu mais que um botão, foi um equalizador completo!"

Ele conta situações embaraçosas que vive por conta de falar contidamente. Enquanto ouço, observo a vitalidade presente na sua fala. Isso se confirma nas sessões subsequentes, nas quais exploramos um pouco a lembrança da infância e outros conteúdos que surgiram, mas o mais importante é que não só o padrão de vocalização havia mudado como uma atitude mais decidida se fazia presente.

PRESENTIFICAÇÃO

A presentificação é a técnica mais básica da Gestalt-terapia. Refere-se tanto a trazer situações temáticas para o presente como a manter o foco na *awareness* do que se passa no presente imediato. Em geral, incentiva-se o cliente a verbalizar na primeira pessoa, utilizando o advérbio "agora", e ir descrevendo o seu processo de *awareness* momento a momento, de modo que o terapeuta possa acompanhar o que se passa e fazer as intervenções que julgar necessárias para o aprofundamento do processo em curso. Por exemplo: agora eu percebo minha boca seca; agora sinto uma leve tensão no pescoço; agora me sinto perdido etc.

A presentificação é o elemento nuclear de qualquer outro procedimento, sendo por vezes utilizada quase de modo exclusivo. Barry Stevens (1977) utilizava sobretudo essa técnica, pedindo ao cliente que prestasse atenção no que experimentava corporalmente e, de quando em quando, dando notícias do que observa. Ela acompanhava o processo e fazia sugestões adicionais, como manter-se em determinada sensação e/ou intensificá-la.

VIAGEM DE FANTASIA E FANTASIA DIRIGIDA

Existem muitas maneiras de viagem de fantasia. Algumas se tornaram mais conhecidas por ter sido adotadas com mais frequência em trabalhos com grupos, mas o melhor dessa técnica é que ela pode ser recriada sempre conforme o tema e a situação que se apresentam. Seu fundamento é a imaginação e sua base é um *script* que dá uma direção sem determinar o que se passa; é um roteiro que o terapeuta vai apresentando para ser preenchido pela imaginação do cliente. Se o roteiro diz que ele percorre um caminho, é o cliente que vai compor o cenário – mais que isso, terá a experiência de percorrê-lo imaginariamente, como se fosse o diretor do filme que ele próprio vivencia. Nos trabalhos com grupos, pode ser uma ferramenta interessante para criar uma cultura de compartilhamento e intimida-

A clínica, a relação psicoterapêutica e o manejo em Gestalt-terapia

de, uma vez que todos recebem o mesmo *script* do terapeuta e, depois, podem conferir um pouco da diversidade de resultados quanto à criação e à experiência de cada um.

No trabalho individual, a fantasia dirigida ajuda a explorar um tema em particular que seja difícil para o cliente expor, sendo uma alternativa à representação.

METÁFORAS COMO INSTRUMENTO

Uma das marcas do meu estilo de trabalho envolve essa técnica que, ao longo da minha experiência, fui reconhecendo e aprimorando. Com frequência, conto alguma história ao cliente; na maior parte das vezes, não são relatos pessoais, mas pequenas histórias, trechos de romances ou filmes, poemas, casos lidos no jornal, coisas que guardo comigo. Isso acontece como uma expressão da minha escuta, respondendo a determinado tema surgido na sessão.

Com frequência, observo algum efeito; às vezes, é só alguma graça; em outras, tendo o cliente feito uma relação entre a história e o que está vivendo, torna-se objeto de exploração mais ativa, resultando em um típico experimento. O critério de escolha é comum a qualquer outra intervenção: a história deve surgir para o terapeuta a partir da situação presente e ter algum aspecto relativo ao tema trabalhado ou ao processo terapêutico.

Outro aspecto importante é que sejam histórias simples, breves e interessantes; claro que este último aspecto vai depender da qualidade do terapeuta como contador de histórias.

Além de constituir um modo de exploração experimental e experiencial, as histórias sempre funcionam como um estímulo para a intuição, a criatividade e a fantasia, que costumam ficar enfraquecidas nas situações de sofrimento.

Eu poderia continuar apresentando outras técnicas, mas o meu intuito não é fazer um resumo delas. Espero que o leitor tenha compreendido o *espírito da coisa*: não tem nada na técnica *de per si*, ela só faz sentido no movimento vivo da relação, do acontecimento. Não é a técnica que faz acontecer, ela apenas faz parte dele. Como diz uma história zen, é como o vento: se você tentar guardá-lo em uma caixa, quando você a fechar ele não mais estará lá.

REFERÊNCIAS BIBLIOGRÁFICAS

O'LEARY, E. *Gestalt therapy: theory, practice and research*. Londres: Champ & Hall, 1992.

PERLS, F. *Abordagem gestáltica e testemunha ocular da terapia*. Rio de Janeiro: Zahar, 1977a.

_____. *Gestalt-terapia explicada*. São Paulo: Summus, 1977b.

PERLS, F.; HEFFERLINE, R.; GOODMAN, P. *Gestalt-terapia*. São Paulo: Summus, 1997.

STEVENS, J. O. *Tornar-se presente*. São Paulo: Summus, 1977.

YONTEF, G. M. *Processo, diálogo e awareness*. São Paulo: Summus, 1998.

ZINKER, J. *Processo criativo em Gestalt-terapia*. São Paulo: Summus, 2007.

6
Teoria e técnica do trabalho com sonhos em Gestalt-terapia

ALBERTO PEREIRA LIMA FILHO

A FUNÇÃO DO SONHO E SEU CONTEÚDO

Em 1969 – portanto, aproximadamente um ano antes de sua morte –, Perls (1974) qualificou a Gestalt-terapia como uma abordagem existencial. A explicação para isso estava no fato de que, por não se limitar a lidar com sintomas e estruturas de caráter, a abordagem gestáltica ocupava-se da existência total da pessoa, cujos fenômenos, segundo o autor, nitidamente se manifestam em sonhos. Para Perls, o sonho é a criação mais espontânea da pessoa, pois ocorre sem a mediação do intento ou da escolha deliberada do sonhador, isto é, emerge como um produto espontâneo da psique. A expressão utilizada por Perls – "criação" – requer alguma explicação. O autor compreende que os elementos ou partes de um sonho (personagens, locações, objetos, animais, cores) seriam criações do sonhador. Ao colocar as ideias nesses termos, Perls não se ocupa com distinções entre funções conscientes ou inconsciente, uma vez que sua abordagem prescinde dessas categorias. Ainda assim, o que se pode inferir é que haveria uma espécie de autonomia e independência do sonho em relação ao sonhador. A pessoa que sonha é, a um só tempo, autora (uma vez que cria) e mera testemunha da produção onírica, não podendo operar sobre ela nem decidir sobre os rumos que ela possa ter.

Perls (1973) atribui ao sonhador, ainda, a criação das situações do sonho, destacando a participação de uma função psíquica assim referida: a de selecionar os elementos que participarão do sonho. Em nenhuma passagem do mesmo texto encontra-se qualquer ampliação ou desenvolvimento dessa ideia, nem qualquer discussão a respeito de como se processa a seleção dos elementos que compõem o sonho. A pessoa é vista como uma totalidade, em parte ciente de suas produções (quando delibera) e, em parte, não ciente (quando a produção é espontânea).

O autor considera, ainda, a contribuição da memória para a composição do sonho. Ele nada comenta (outros autores dentro da mesma abordagem, tampouco) sobre a origem das peças nem sobre o modo de composição das partes em um todo.

No mesmo texto, Perls apresenta um contraste entre sua visão dos sonhos e a de Freud: para o fundador da psicanálise, o sonho seria a via régia para o inconsciente; Perls, diferentemente, preferiu conceber o sonho como "o caminho real para a integração". Em sua visão, quando parcelas da pessoa encontram-se alienadas (o que é diferente de considerá-las inconscientes), os sonhos são oportunidades para que sejam resgatadas e reintegradas. Nesse ponto, incide a compreensão que o autor tem do significado de "projeção". Perls (1977) emprega o conceito com certa liberdade teórica, ou seja, sem alinhá-lo a uma teoria específica em psicologia, e entende que as diferentes partes do sonho são fragmentos do sonhador, que teriam se desarticulado do conjunto dos conteúdos psíquicos reconhecidos pela pessoa como seus. Para tornar-se uma pessoa unificada, é necessário que o sonhador resgate os fragmentos projetados, com toda a carga energética neles contida. A energia pertencente a cada elemento projetado está preservada, porém não constitui um recurso à disposição da pessoa.

Para Perls, tudo que é percebido no outro, ou no mundo, nada mais é do que uma projeção. Na visão do autor, teria havido um momento de unificação e inteireza inicial, seguido de um processo de dissociação, alienação e rejeição. O sistema psíquico, infere-se, pressiona em direção à retomada do elemento afastado. Em outras palavras, situações inacabadas – *Gestalten* abertas, carentes de coesão e nitidez – imprimem um movimento de integração ao sistema psíquico, que tolera mal esses processos de alienação; os sonhos podem ser caminhos para a integração, uma vez que os conteúdos alienados se insinuam ali, ainda que, para que ela se realize, uma intervenção se faça necessária. É o que se busca alcançar com o trabalho terapêutico com os sonhos. Além de úteis como coadjuvantes em processos terapêuticos, isto é, como complementos aos depoimentos feitos em sessões psicoterápicas, os sonhos tornam o exercício da psicoterapia especialmente belo. Em razão da natureza do próprio material onírico, sonhador e psicoterapeuta são levados a transitar por um universo distinto daquele em que normalmente se encontram imersos. A estrutura e a dinâmica do próprio conteúdo onírico – as imagens, o enredo, o discurso com o qual o sonho é relatado – impedem ou dificultam o boicote à formação de novas figuras (percepções, compreensões, captações de significados) justamente porque, ali, o plano das defesas se encontra necessariamente afrouxado.

Segundo Perls, ainda, a dissociação ocorrida poderia ser atribuída à atitude fóbica e à evitação da *awareness*, um conceito associado aos sentidos. A reapropriação dos sentidos, entendida como intensificação (ou mesmo restabelecimento do fluxo) da *awareness*, é necessária para a dissolução das projeções. Qualquer que tenha sido e como quer que tenha ocorrido o processo de dissociação de partes projetadas, incidem ao mesmo tempo uma dessensibilização, um embotamento, ou alguma outra forma de bloqueio, distorção, ou disfunção no plano dos sentidos. Superadas essas dificuldades, a tendência seria a ampliação (ou restabelecimento) da *awareness* e a simultânea restauração do processo perceptivo sensorial saudável. Perls acreditava que o fluxo de *awareness*, por si só, daria conta de ser a melhor forma possível de capacitação para a pessoa. Com essa fluidez restaurada, ficariam favorecidas as diversas manifestações da integração de conteúdos psíquicos, ou seja, a redução da dissociação, a tomada de posse do conteúdo até então projetado e a reapropriação das frações até então alienadas. A qualquer dissociação defensiva que se possa observar subjaz uma modalidade específica de dissociação, justamente aquela a que o trabalho gestáltico se volta de modo preferencial: uma espécie de desenraizamento dos conteúdos psíquicos ditos "conscientes" ligados ao solo do qual, esperar-se-ia, eles teriam emergido, ou seja, o plano da *awareness*. Em razão de ser restaurador, o trabalho com os sonhos, pelo me-

A clínica, a relação psicoterapêutica e o manejo em Gestalt-terapia

nos potencialmente, favorece a retomada da ligação entre o chamado conteúdo consciente (senso de identidade, noção de "eu", percepção de si mesmo, do outro, do tempo e do mundo) e o alicerce do qual, se saudável e funcional, o conteúdo não deverá se distanciar nem se dissociar, a saber, a *awareness*. Assim, por exemplo, cruzar os talheres é um gesto que se faz ao término de uma refeição em razão de se estar satisfeito com o alimento ingerido, não como uma prescrição social a ser seguida, ou qualquer outra coisa exterior à subjetividade daquele que se alimenta. Isso não significa que processos adaptativos (comportamentos socialmente adequados à mesa) sejam desencorajados ou contrários ao fluxo de *awareness*, mas que, quando privilegiados em detrimento do alimentar-se, cumprirão atender a uma necessidade social sentida como tal e, portanto, também alicerçada na *awareness*. Afinal, existe uma hierarquia de necessidades a ser contemplada.

Para Perls, tudo que acreditamos ver em outra pessoa, ou no mundo, não passa de uma projeção. A afirmação parece-me contundente demais – bem ao gosto de Perls, que de fato carregava nas tintas ao comunicar suas ideias –, mas faz sentido quando se considera que, em geral, as pessoas *percebem que percebem, mas não percebem que projetam ao mesmo tempo que captam o percepto objetivamente*. A projeção é uma forma de interação que faz parte da vida. Isso fica ilustrado pelo fato de que, na maior parte das vezes, quem projeta escolhe bem a tela que receberá a projeção. Dito com outras palavras, o objeto, a situação ou o personagem que recebe a projeção de fato oferece um gancho para isso. A meu ver, esse mecanismo será francamente disfuncional sobretudo sob duas condições: quando a "tela" não é apropriada para receber a projeção, ou seja, não contém atributos que justifiquem a escolha para que a projeção lá se deposite (é o que se conhece como "projeção massiva", ou maciça, comum nas psicoses); e quando teima em não "desgrudar da tela", caracterizando as *Gestalten* fixas comuns nas neuroses, ou seja, as visões cristalizadas e a dificuldade, ou a impossibilidade, do movimento normal de desconstrução e reconstrução de figuras, próprio do fluxo contínuo de *awareness*. É pela projeção e, muitas vezes, graças a ela, que se descortina um universo rico de vivências, aprendizagem e diversificação da experiência.

Em consonância com o método por ele concebido, Perls (1977) entende que, no caso do trabalho terapêutico com sonhos, podemos reassimilar e recuperar nossas projeções quando nos identificamos com a pessoa (sua atitude, o núcleo de seu comportamento, sua característica central, geralmente ressaltada no sonho) ou com o objeto que recebe a projeção.

Para não incorrermos no erro de avaliar mal a proposição do autor, será necessário diferenciarmos com maior precisão o que ele chama de *identificação com o elemento do sonho*. Trata-se de um exercício de "tornar-se" o objeto e dar voz a ele. O sonhador não se torna idêntico ao objeto, mas, antes, confere a ele um lugar, uma função, e desempenha o papel desse fragmento onírico, como um ator que personifica o objeto ou o personagem destacado para a realização do exercício. O trabalho caminha pesquisando pares de opostos, que podem ser focos de conflitos. Quando falarmos especificamente sobre o método de exploração de um sonho, isso ficará claro e será ilustrado com exemplos.

Com a técnica de identificação com elementos do sonho, Perls propõe uma alternativa à técnica psicanalítica de asso-

A clínica, a relação psicoterapêutica e o manejo em Gestalt-terapia

ciações livres e interpretação. Em lugar de interpretar, o que poderia resultar num mero jogo intelectual, Perls busca levar o sonhador a reviver o sonho no aqui-agora, relatando-o e encenando-o no tempo presente e, portanto, envolvendo-se na ação com mais vivacidade. A interpretação do sonho é evitada, pois é vista como um produto da reflexão do psicoterapeuta. No ato terapêutico, ela funcionaria como uma antecipação à descoberta que o sonhador pode alcançar por si só, uma vez tendo-se engajado na exploração dos elementos de seu sonho. A verbalização é preservada, mas opera como uma espécie de "tradução ou transcrição simultânea" da experiência. O trabalho gestáltico – não apenas com sonhos, esclareça-se – privilegia as formulações inusitadas que o próprio cliente pode proferir (ou às quais pode chegar) como produtos que decorrem naturalmente do exercício de retomada do fluxo de *awareness*. Não há nada de errado com as interpretações – Perls sempre recorria a elas, como tão claramente evidenciou o trabalho investigativo que fiz do método empregado por ele (Lima Filho, 2002) –, mas elas favorecem o trabalho reflexivo, ao passo que a meta do trabalho gestáltico é a recapacitação no plano da *awareness* (universo dos sentidos, pré-reflexivo) e o privilégio aos sentimentos.

Afinados com as ideias de Perls, Polster e Polster (1979) entendem que o reconhecimento das afinidades da pessoa com os aspectos do sonho favorece a ampliação de processos criativos e a noção de identidade como algo vivo e em movimento. Isso contribui para a superação de uma autoimagem muitas vezes desvitalizada e pouco dinâmica.

No trabalho acadêmico que desenvolvi (Lima Filho, 2002), examinei cinco experimentos com sonhos conduzidos pelo próprio fundador da Gestalt-terapia e descrevi o método por ele utilizado. Meu intento foi acompanhar passo a passo o raciocínio do facilitador na condução de experimentos, buscando identificar os critérios que orientavam suas intervenções, bem como as pistas colhidas no discurso, no comportamento e nas expressões corporais do sonhador para orientar o psicoterapeuta quanto ao caminho a seguir. Nos parágrafos seguintes, o leitor encontrará a descrição do método ilustrada com exemplos. Considerando que, uma vez objetivado, o método já não se confunde com seu propositor, escolhi intencionalmente extrair os exemplos de minha prática clínica. O método de Perls inclui procedimentos uniformes e estáveis, o que permite a formulação de uma teoria geral. Mas também se divisa imensa diversidade de modos de condução dos experimentos, o que deixa aberta a possibilidade de que quaisquer condutores, psicoterapeutas ou facilitadores desenvolvam repertórios próprios de recursos terapêuticos, ainda que se mantenham leais às proposições básicas de Perls e da abordagem gestáltica. Não seria compatível com o espírito da abordagem os psicoterapeutas se limitarem a reproduzir os ensinamentos de seu mestre e mentor. A diversidade e a criatividade consubstanciam a formação do Gestalt-terapeuta e falam da compatibilidade entre a pessoa do psicoterapeuta e a identidade profissional por ele eleita. Meras reproduções seriam contrárias ao fluxo de *awareness* na experiência do próprio psicoterapeuta na situação de atendimento. Como pode promover a funcionalidade de um movimento psíquico alguém que não a emprega em sua prática?

A clínica, a relação psicoterapêutica e o manejo em Gestalt-terapia

DESCRIÇÃO DO MÉTODO

Parte-se do relato que o sonhador faz de seu sonho. Observam--se as características de tal relato: ele pode ser descontínuo, hesitante ou difícil de compreender. Talvez inclua algum tipo de estereotipia de linguagem; pausas acentuadas; manifestações emocionais que chamem a atenção, tais como engasgos, repetição de palavras, uso de língua estrangeira etc.
Exemplos:

- Eu, é... Bem, quer dizer, eu [...] ahnnnn [...] eu vinha pela rua...
- Minha irmã chegava, assim, à minha casa, assim, sozinha, assim, sabe? Com o filho dela, assim...
- Naaaaaada que pareça tãããããããão significativo... Um sonho tolo, um...

Em situações como essas, o psicoterapeuta pode intervir para:

- investigar o sentimento presente;
- investigar as sensações corporais que o acompanham;
- incentivar a expressão do sentimento para aquele ou aqueles em companhia de quem esse estado subjetivo é experienciado; o interlocutor pode ser atual ou imaginado.

Concluídas essas pesquisas, solicita-se a retomada do relato do sonho.
Se, no entanto, o relato for fluente e contínuo, comunicado de forma inteligível, livre de hesitações, sem manifestações

emocionais evidentes (suspiros, tremores, mãos que se esfregam de modo frenético etc.), o psicoterapeuta pode propor um experimento. Invariavelmente, recomenda-se a *identificação* do sonhador com um elemento do sonho. Instrução: *Assuma a voz do (elemento eleito) e fale por ele no presente, na primeira pessoa do singular.*

Algumas alternativas para a identificação:

- Com um personagem do sonho (*Seja o porteiro e apresente-se como ele. Diga quem você é, como você é, o que você faz etc.*).
- Com um objeto ou uma situação do sonho, que pode ser explícito(a) ou elíptico(a) (*Seja o poste em frente à casa do sítio; seja uma planta qualquer do sítio.*).
- Com um personagem do sonho, de modo que o relato seja retomado na perspectiva do novo narrador (*Seja o dono do circo e relate o sonho novamente, agora na perspectiva desse senhor.*).
- Com um aspecto psicológico de um personagem do sonho; nesse caso, pode ser fornecido um modelo de padrão discursivo representativo daquele aspecto psicológico (ameace-o: "*Se você fizer tal coisa, eu o punirei com tal outra*"). O cliente é levado a silenciar o contexto do sonho e a adentrar o contexto atual, passando a comunicar-se com o(s) interlocutor(es) presente(s) na situação por meio do padrão discursivo sugerido. O padrão discursivo indicado não é uma invenção do psicoterapeuta. Ele emerge do discurso do cliente – ou a narrativa do sonho dá ensejo a que ele seja destacado.

Em geral, os seguintes critérios são tomados para a eleição do elemento do sonho com o qual o sonhador vai realizar a identificação:

- Se o relato for breve, descritivo de uma situação harmoniosa e não contiver pares de opostos, pode-se eleger o elemento central do sonho, o mais abrangente, o mais amplo. Tem início o exercício de identificação até que se possa diferenciar um par de opostos, ou um contraste com a situação harmoniosa. (O sonho se passa numa quermesse promovida pela igreja da cidade em que o sonhador nasceu. Pede-se ao sonhador que seja a quermesse. A certa altura do exercício, o sonhador diz que algumas pessoas parecem ter comparecido à quermesse por prazer, enquanto outras dão indício de estar presentes por motivos protocolares. Eis um par de opostos.)
- Se o relato incluir um polo oposto à atitude básica do sonhador no enredo do sonho, elege-se esse elemento. (O sonhador desempenha no sonho um papel conciliador; outro personagem do mesmo sonho assume uma postura desafiadora, por exemplo, contraposta à posição do sonhador no enredo do sonho.)
- Se o relato incluir dois elementos que clara ou potencialmente formem um par de opostos, elege-se um ou outro desses elementos. (Um pote de mel e uma taça de fel.)
- Se o relato dá destaque a um aspecto psicológico (um traço de personalidade, uma atitude característica) de um personagem do sonho, elege-se esse elemento. (*Seja a teimosia da freira. Seja o medo de tia Augusta.*)

- Essa etapa do trabalho visa promover o diálogo entre os pares de opostos, com especial atenção voltada para a expressão das necessidades e dos desejos do polo desdenhado (esquecido, negligenciado) pela atitude habitual do sonhador, ou seja, o conteúdo projetado. Ou, então, favorece-se o simples reconhecimento desse mesmo polo, sem que se desqualifique o polo privilegiado pela atitude que normalmente caracteriza o sonhador em suas relações.

De modo geral, o psicoterapeuta faz uma pesquisa, sempre se utilizando do exercício de identificação, com o propósito de localizar a polaridade significativa, isto é, aquela que comporta grande carga energética; que se destaca por ser a mais carregada de emoção; que em todas as etapas da pesquisa parece ser uma síntese do conflito principal; que evidencia uma oposição entre a atitude adaptada, diferenciada, habitual, conhecida, muitas vezes cristalizada, e o conteúdo desconhecido, indiferenciado, rejeitado e, consequentemente, projetado em algum elemento do sonho.

Moldes pelos quais a pesquisa da polaridade central pode ser empreendida: o psicoterapeuta pode "testar" o diálogo entre alguns elementos do sonho, na tentativa de averiguar se aqueles conteúdos são carregados de energia e envolvem uma oposição relevante. De modo alegórico, esse procedimento equivale a um "escaneamento". Entre os recursos que podem ser empregados, destacam-se estes:

- O psicoterapeuta fica atento às características formais do discurso do cliente; caso ocorram interrupções, descontinuidades, hesitações, ele pode proceder como no caso dos relatos entrecortados. A informação obtida por esse método é inclusa no diálogo que se está processando (*"O que você [sonhadora] experimenta neste momento [em que desempenha o papel do armário no diálogo com o chão]?" Eu estou odiando estar aqui. "Diga isso ao chão."*).

• O psicoterapeuta fica atento à força expressiva, ou a diferentes modulações na voz do sonhador, e propõe a ele identificar-se com a voz. Desse procedimento podem emergir conteúdos úteis para a continuidade do experimento (*"Como soa sua voz para você?" Infantilizada. "Seja sua voz infantilizada." [...] "Agora diga a mesma coisa a seu interlocutor, com a voz adulta."*).

• O psicoterapeuta fica atento aos gestos e movimentos que o cliente faz com as mãos; nesses casos, favorece que o sonhador diferencie bem os movimentos de cada mão; segue-se um diálogo entre essas dimensões; gestos e movimentos manuais podem representar a polaridade central que se está a pesquisar. O pressuposto é que, respectivamente, os lados direito e esquerdo são portadores dos aspectos masculino e feminino da pessoa. Além disso, a linguagem gestual pode expressar com clareza o que a linguagem verbal empobrece ou distorce (*"O que sua mão direita quer fazer?" Ela quer me esconder. "O que sua mão esquerda quer fazer?" Ela quer me empurrar naquela direção.*). Um exame atento do trabalho de Perls, aliás, evidencia quanto o propositor do método gestáltico privilegia a observação das mãos e do gestual associado a elas mais do que quaisquer outras manifestações corporais.

Concluídos esses expedientes, o psicoterapeuta indica que o sonhador retorne ao sonho para uma vez mais propor a identificação com o mesmo elemento eleito de início; obstáculos e resistências surgidos na primeira tentativa podem ter sido dissolvidos com a ajuda de um ou de alguns dos recursos aqui mencionados.

Num procedimento alternativo, o psicoterapeuta retoma o sonho para propor a identificação com um elemento diferente do que foi eleito de início (prosseguindo com o trabalho de "escaneamento").

Esses recursos buscam flagrar o caminho percorrido pela energia do cliente e permitem ver onde há maior ou menor vitalidade e brilho – ou tensão, paralisia, desvitalização. Isso indicará que foi encontrada a polaridade mais alinhada ao núcleo do conflito da pessoa.

Se seguro da presença de um elemento onírico claramente polar em relação à atitude habitual do cliente, o psicoterapeuta pode promover o emergir do conteúdo oposto, levando o cliente a experimentar as emoções e até as possíveis ações a ele associadas de modo dramático. Basta que instrua o sonhador a desempenhar o papel do polo projetado; a tarefa deve ser conduzida com afinco, até que se reconheça e se incorpore o desejo contido no conteúdo em questão. Surgindo resistências e esquivas, o psicoterapeuta pode graduar a instrução principal (alterá-la ou adaptá-la em detalhes periféricos), desde que não altere seu núcleo nem fuja à meta almejada (*"Defenda sua posição com garra." Como assim? "Afirme cada uma de suas crenças em sequência e com ênfase, uma após a outra."*).

Concluída a pesquisa e identificada a polaridade significativa, propõe-se o diálogo entre os polos; o cliente desem-

A clínica, a relação psicoterapêutica e o manejo em Gestalt-terapia

penha ambos os papéis de modo alternado. Costuma ser de grande ajuda a posição de diálogo marcada no espaço físico da sala de atendimento, com um polo ocupando uma cadeira e outro polo ocupando outra, por exemplo. A função do psicoterapeuta é observar com atenção a atitude de cada polo para com o polo oposto, sobretudo a atitude do polo habitual para com o menos comum (ou incomum). A finalidade das intervenções do psicoterapeuta é conquistar da parte do polo habitual uma escuta honrosa das necessidades e dos desejos do polo menos conhecido ou rejeitado e temido. Essa escuta é acuradamente exercida pelo psicoterapeuta, que desempenha o papel de um advogado atento às sutilezas da comunicação e à compatibilidade entre intento e ação, ou entre intento e manifestação do intento. Com sua função de mediação, ele contornará as habituais estratégias de boicote do polo projetado por parte do polo habitual. O propósito é promover respeito e um novo acordo entre os polos, que dispense a repressão ou algum outro tipo de boicote. A nova atitude é conseguida graças ao manejo do psicoterapeuta. Ele cria condições para que a parcela excluída da personalidade se expresse de forma mais clara e contundente, fazendo-se ouvir e ser respeitada. Para oferecer segurança e suporte, a presença do psicoterapeuta substitui as habituais defesas do sonhador, que se afrouxam em favor de nova postura. Nisso reside a especificidade da postura e do ofício do Gestalt-terapeuta. Com seu posicionamento e com as intervenções que dele decorrem, o psicoterapeuta instrumentaliza o conteúdo excluído para que se articule com os recursos já assimilados, fortes e coesos, como os que em geral caracterizam a pessoa.

Recursos utilizados pelo psicoterapeuta, na cena dramática, para assegurar a eficácia da comunicação por parte do polo excluído para com o polo conhecido, geralmente representante da pessoa tal como ela vinha se apresentando até o momento em que o sonho é trabalhado:

- Fornecimento de modelos de padrão discursivo, que buscam enfatizar e destacar o cerne de uma atitude (*"Diga: 'Eu não me disponho a me submeter; exijo...' e complete a frase."*).
- Instrução para que o cliente repita uma sentença proferida quando ela envolve a expressão de uma necessidade, um desejo, uma intenção ou um pedido (*"Diga isso uma vez mais. Fale olhando nos olhos. Faça-o pausadamente e com firmeza."*).
- Sugestão de uma tonalidade afetiva para o discurso a ser proferido (*"Não ameace. Informe."*).
- Sugestões para que o cliente especifique uma comunicação genérica ou detalhe uma informação abrangente (*Eu não gosto de você. "Diga do quê, nele, especificamente você não gosta."*).
- Sugestão para a utilização de gestos ou movimentos corporais condizentes com dada comunicação verbal (*"Erga os olhos e fale sem medo."*).
- Assinalamento de desarmonias entre expressão verbal e expressão corporal de uma comunicação, para atingir um uníssono (*"Você diz que está aberto para ouvir, mas seus braços estão cruzados à frente do corpo, sugerindo fechamento."*).

A clínica, a relação psicoterapêutica e o manejo em Gestalt-terapia

- Perguntas ou instruções para ampliar, especificar, ou oferecer algum tipo de continuidade para o discurso do cliente (*"Diga onde e quando."*).

EXEMPLO CLÍNICO

O episódio é breve. Foi escolhido em razão da simplicidade do procedimento e da eficácia do método em brevíssimo período. O leitor perceberá que nem todas as etapas de um experimento com sonhos são alcançadas aqui. E é importante que se saiba eleger onde e quando interromper um experimento, atendendo a um critério fundamental para o trabalho terapêutico: a noção de "oportunidade". Ou seja, cabe ao psicoterapeuta identificar se o momento para intervir é oportuno ou se seria excessivo e de difícil assimilação para o sonhador. A intensidade das emoções experimentadas pode indicar o momento de interromper um experimento. É o que acontece no episódio aqui transcrito. A sonhadora (S) é uma mulher na casa dos 50 anos de idade que se caracteriza como solícita, isto é, alguém com quem as pessoas sabem que podem contar. A letra P indica os momentos em que o psicoterapeuta intervém.

S: Eu estava andando...
P: Relate seu sonho no presente do indicativo.
S: Eu estou andando e, de repente, aparecem três cachorros, que pegam meu braço. E eles pegam de uma forma que prendem o meu braço e soltam. E prendem a mandíbula. Eu gosto de cachorros, de forma que eles aparecem e eu não me assusto. Mas, quando eles vêm para perto de mim, eles pegam no meu braço e mordem, mas uma mordida que não é uma

mordida assim... Aquilo dói porque eles prendem o meu braço e começam a fincar os dentes nele. Eles estavam com o olhar bravo, com o olhar agressivo. Eles vieram e me abocanharam. Eles não vinham latindo. Eles agarraram no meu braço, nos dois braços, de modo que eu não consigo me soltar. Eu peço ajuda, mas as pessoas veem que eu estou nessa situação e ninguém vem me ajudar. E fico tentando me soltar com jeito da boca desses cachorros, para que não rasgue minha pele. Tem mais do que um cachorro. Eu fico tentando me desvencilhar com muito cuidado, porque tá me doendo muito o braço, com medo de rasgar o meu braço inteiro. Eu, sozinha, vou me desvencilhando, fazendo com calma, torcendo e retorcendo meu braço para que eu consiga me soltar do cachorro sem ele me rasgar. Eles, cachorros. Daí eu acordo muito assustada. Eu estou com muito medo nesse momento. Eu, que antes não tinha medo, agora tenho. Medo de me machucar muito.

P: Não havia um medo e surge um medo.

S: Isso.

P: Nesta cadeira, nós vamos colocar a presença do medo. Nesta outra, a ausência do medo. Por onde você quer começar?

S: Eu começo pela ausência do medo.

P: Olhe para a presença do medo e se apresente a ela. Imagine que ela está ali presentificada, personificada. Apresente-se a ela. Fale sobre você.

S: Eu sou a ausência do medo na vida da (nome). Eu sou a ausência do medo, porque eu não sei o que é ter medo. Eu sou uma pessoa corajosa. Eu enfrento as situações, por mais difíceis que elas sejam, com controle, não deixando que o medo apareça.

P: Agora se sente ali e seja a presença do medo. Apresente--se à ausência do medo.

S: Eu sou o medo. Eu tô presente. Eu desperto medo em muitas situações perigosas na vida das pessoas. Geralmente as pessoas têm a mim junto delas porque muitas situações são perigosas, me fazendo surgir na vida das pessoas. É muito comum as pessoas terem a mim junto delas.

P: Não acrescente nenhuma palavra. Reveja o que você acabou de dizer silenciosamente. (Intervalo de alguns segundos) Olhe pra mim e diga esse texto, olhando nos meus olhos. Não na qualidade de medo, mas na qualidade de (nome).

S: Eu quase desculpei o medo, dizendo que a vida tem coisas perigosas, que é natural que o medo apareça na vida e que era para a ausência do medo não ter medo de ter medo.

P: Você não disse nada disso. O que você disse e eu quero ouvi-la dizer novamente foi: "Geralmente as pessoas têm a mim junto delas".

S: Geralmente as pessoas têm a mim junto delas (riso acompanhado de choro). Muitas situações são perigosas, que me levam para perto das pessoas. É muito comum as pessoas terem a mim junto delas. Você me fez chorar! (Impressionada com o que acontecera no episódio, a sonhadora pareceu dar--se conta de que seu discurso espontâneo veiculava conteúdos dos quais ela tinha pouca noção, mas que, ali, assumiram tocante significado para ela.)

REFERÊNCIAS BIBLIOGRÁFICAS

LIMA FILHO, A. *Gestalt e sonhos*. São Paulo: Summus, 2002.

PERLS, F. "Quatro palestras". In: FAGAN, J.; SHEPHERD, I. (orgs.). *Gestalt-terapia: teoria, técnica e aplicações*. Rio de Janeiro: Zahar, 1973.

Lilian Meyer Frazão e Karina Okajima Fukumitsu (orgs.)

_____. *Gestalt therapy verbatim*. Nova York: Bantam Books, 1974.

_____. *Gestalt-terapia explicada*. São Paulo: Summus, 1977.

POLSTER, E.; POLSTER, M. *Gestalt-terapia integrada*. Belo Horizonte: Interlivros, 1979.

7
Término e interrupções da relação psicoterapêutica em Gestalt-terapia

KARINA OKAJIMA FUKUMITSU

Este capítulo tecerá considerações sobre a ideia de que o que se termina ou se interrompe é a relação psicoterapêutica, mas os processos tanto do cliente quanto do terapeuta continuam. Cada caso é um caso que precisa ser compreendido no contexto de sua ocorrência. Dessa maneira, creio não ser possível falar em término de maneira conclusiva e precisa.

Creio que o psicoterapeuta deva assumir a conduta de ser prescindível na vida do cliente, sendo uma das funções da psicoterapia a de acompanhar algumas fases da vida das pessoas. Entretanto, tive a grata oportunidade de atender clientes que voltaram, depois de anos, a procurar por meus serviços como psicoterapeuta. Por esse motivo, fiquei motivada a discorrer sobre os aspectos inerentes ao término de um processo de psicoterapia e, portanto, a responder à seguinte questão: "Como compreender o término de um processo psicoterápico segundo o aporte gestáltico?" Assim, este capítulo trata das várias nuanças do que acontece em Gestalt-terapia, no momento cunhado por término.

De início, friso não ser possível definir precisamente o significado de término segundo o processo de um atendimento gestáltico, pois, além de cada caso ser único, como apontado anteriormente, tudo deve ser compreendido em seu contexto e conforme a especificidade de sua ocorrência.

Falar sobre finalizações exige a contemplação de separações, aproximações, reaproximações e, sobretudo, ressignificações.

Para tanto, recorro ao atendimento de uma pessoa que, à época, tinha 15 anos de idade, a qual me procurou para ser novamente sua psicoterapeuta aos 30 anos. Interrompemos o processo após dois anos juntos porque fui morar nos Estados Unidos. Recordo-me do nosso sofrimento na última sessão, na qual o adolescente me presenteou com um quadro feito por ele que retratava um avião e um menino, em terra, acenando. "O menino estava triste porque a pessoa que estava no avião estava indo embora", explicou o cliente.

Seu retorno em psicoterapia após 15 anos facilitou a percepção de que nem sempre a interrupção do processo psicoterapêutico deve ser percebida como término, pois, apesar de a psicoterapia parecer ter sido formalmente finalizada, as forças (terapeuta e cliente) continuaram seus processos. Portanto, há de se indagar: "O que se termina quando um cliente para a psicoterapia?" Nesse sentido, psicoterapia não se termina, pois é por excelência um processo contínuo de ampliação de *awareness* no qual, uma vez iniciado o treinamento, este poderá ser continuado. Provavelmente, o que se termina é o testemunhar, o estar junto no contexto psicoterapêutico. Porém, enquanto houver vida, os processos continuarão, po-

A clínica, a relação psicoterapêutica e o manejo em Gestalt-terapia

dendo algumas *Gestalten* ser completadas ao passo que outras permanecerão incompletas.

Términos podem significar finalizações ou, ainda, interrupções necessárias. Portanto, o que se deseja destacar é que um término não significa necessariamente fechamento e, ao interromper o processo psicoterapêutico, o cliente pode também fornecer dicas da maneira como se vincula. Nesse sentido, há clientes que revelam sua idiossincrasia também na maneira como se separam.

Existe o cliente que faz questão de enviar a notícia de que parará, bem como aquele que desaparece sem se despedir do terapeuta. Outros clientes precisam da confirmação de que poderão ir embora.

Há clientes que interrompem seu processo por *e-mail*, rede social e por mensagem de celular; clientes que não pagam o que acordaram e vão embora; e aqueles que pagam não apenas financeira, mas também emocionalmente, pois quando termina a psicoterapia continuam se sentindo devedores. Outros se sentem insatisfeitos, mas não revelam seu descontentamento ao psicoterapeuta.

Enfim, há clientes de todos os tipos, bem como existem terapeutas diversos, como aquele que se sente culpado pela interrupção do cliente, o que se sente abandonado, o que sabe que o término em psicoterapia faz parte do processo etc.

Graças à influência fenomenológica, um mesmo evento pode ser compreendido de formas diferentes, tanto pelo psicoterapeuta quanto pelo cliente. Dessa forma, a compreensão de cada um está diretamente relacionada com a experiência singular.

Um aspecto significativo deste capítulo é o presente de escrevê-lo em um momento pungente. Explico. Grande parte deste escrito decorreu das reflexões provocadas pelas aulas de Lilian Frazão, do Departamento de Psicologia Clínica do Instituto de Psicologia da Universidade São Paulo. No entanto, devo compartilhar alguns detalhes que ampliam a reflexão sobre términos e interrupções em Gestalt-terapia.

Lilian foi minha primeira psicoterapeuta, ainda no segundo ano da faculdade de Psicologia. Depois de dois anos de psicoterapia, interrompi o processo quando da morte de meu sobrinho. Naquele momento, parei o processo talvez porque não quisesse mexer no sofrimento do luto e por não me sentir identificada com a Gestalt-terapia, uma vez que estudava a análise do comportamento. Interrompi por defesa? Sim, "a sobrevivência psíquica é uma necessidade legítima", como Frazão (2014) ensina. Interrompi por defesa necessária, mas o que chama minha atenção é que a interrupção naquele momento como cliente foi vivida como uma separação *para sempre* e que, 21 anos depois, dou-me conta do privilégio de organizar, juntamente com ela, a presente coleção, além de fazer estágio em docência do meu pós-doutorado com ela.

Confesso que, em certos momentos, penso com meus botões: "Ainda bem que somos Gestalt-terapeutas, pois em qual outra abordagem essa experiência seria possível sem que fosse malvista? Que bom ser Gestalt-terapeuta para que possamos nos autorizar a viver uma relação atualizada, ressignificada e solidificada de maneira diferente". E, com base nessa reconfiguração, é possível pensar que a relação terapêutica pode ser facilitadora para constituir a confiança para o devir dos clientes.

No entanto, cabe salientar minha preocupação de que, ao compartilhar essa experiência com Lilian, as pessoas pensem

A clínica, a relação psicoterapêutica e o manejo em Gestalt-terapia

que em Gestalt-terapia tornamo-nos amigos dos nossos clientes ou que não temos critérios, tampouco o discernimento do nosso papel na relação terapêutica. Não se trata disso, pois o que se deseja enfatizar, sobretudo, é que, por ser a Gestalt--terapia uma proposta de crescimento, nela existe a possibilidade de ressignificação relacional.

Todo término deveria estar em congruência com seu início e meio, ou seja, uma trajetória iniciada é direcionada para sua finalização. Ou seja, se houve um encontro inicial suficientemente bom, a finalização suficientemente boa seria o produto final. Ledo engano. Nem tudo que se iniciou de um modo acaba da mesma maneira. Embora não se tenha um *a priori*, torna-se importante refletir sobre esse momento de separação entre psicoterapeuta e cliente, considerando a singularidade e especificidade de cada relação.

Nesse sentido, a compreensão da *função* das interrupções em um processo é crucial. Fazendo alusão ao título do livro *Perdas necessárias*, de Judith Viorst (2009), penso que alguns términos em psicoterapia são necessários. Lembro-me de uma cliente que recebeu a notícia de estar grávida, após longo tratamento para engravidar, no mesmo dia em que sua mãe morreu de câncer. Acolhi seu sofrimento, sobretudo quando relatava que, "agora que era mãe, tinha perdido sua mãe". Após alguns anos, ela disse que "desejava andar sozinha e parar a terapia", pois se percebia "mais forte e organizada para lidar com as dificuldades da vida", mas ao mesmo tempo experimentava culpa, pois sentia que não poderia me deixar, uma vez que estive com ela no momento em que mais precisou. Diferentemente da primeira sessão, sentia seu autossuporte fortalecido e, por esse motivo, disse: "Acredito que agora seja um ótimo momento para viver a separação, não como morte, mas sim como um até breve". E, assim, ela se foi...

Nesse caso, o término foi necessário para que novas experiências pudessem ser autorizadas, descobertas e vividas; a meu ver, para essa cliente, o preço de ousar foi a solidão libertadora para se descobrir.

Endossando que nossos clientes não têm nada que ver com nossas carências; aquele que não souber que o término faz parte do processo psicoterapêutico sentirá a interrupção como abandono, ou assumirá uma responsabilidade que, por vezes, não é sua. Há de se dimensionar, ainda, as expectativas que, como psicoterapeutas, temos a respeito do processo de cada cliente. O desfecho não deve estar alicerçado nas expectativas do terapeuta, tampouco na dependência do cliente para com o profissional. E, assim como preconiza Etchegoyen (1987, p. 368),

> Não pode haver crescimento mental, nem integração, nem saúde mental que só se alcancem a partir de outro, e não de si próprio. Há aqui, pois uma incompatibilidade que não é só fática, mas também lógica: para ser independente não se pode depender de outro até a eternidade.

Ilustrando. Percebi que um cliente que se atrasava na maioria das sessões em geral chegava dizendo: "Estou bem, mas bebo cada dia mais para me sentir menos solitário". Certo dia, perguntei qual era a função da psicoterapia para ele naquele momento. Após a sessão, enviou-me o seguinte recado por celular: "Com sua pergunta, percebi que a psicoterapia tem sido mais uma das situações em que me coloco sem sen-

A clínica, a relação psicoterapêutica e o manejo em Gestalt-terapia

tido. Fico triste por pensar nisso e agradeço tudo que fez por mim, mas acho que seria melhor eu dar uma parada para pensar no que tenho feito da minha vida". Tendo em vista que "[...] o objetivo não é o terapeuta ter consciência de algo a respeito do paciente, mas o paciente ter consciência de si próprio" (Perls, Hefferline e Goodman, 1997, p. 136), acredito que o cliente se deu conta de seu processo e a ampliação de *awareness* favoreceu a percepção da maneira como estava vivendo. Nesse caso, aprendi que devemos acolher o término quando o que se faz não oferece mais satisfação. A serviço de quê permanecemos em relações das quais não nos beneficiamos mais e mantemos por costume? É importante destacar que, nesse caso, mesmo o sentido de não fazer sentido teve sua função.

Em intrigante reflexão a respeito dos problemas teóricos do término da análise, Etchegoyen (1987) propõe que o término seja, entre outros aspectos, compreendido conforme os objetivos da terapia. Perls, Hefferline e Goodman (1997, p. 89) afirmam que "o objetivo da terapia é superar a solidão, restaurar a autoestima e realizar a comunicação sintáxica". A superação da solidão não necessariamente acontece pela manutenção da relação psicoterapêutica, mas pela qualidade relacional.

No que se refere a finalizações necessárias, torna-se pertinente discorrer sobre a dificuldade com términos. Exemplificando, lembro um cliente que, antes de me procurar para iniciar a psicoterapia, relatou que demorara três anos para interromper seu processo com outra psicoterapeuta, mesmo depois de se dar conta de sua insatisfação, por perceber que, na maioria das sessões, a psicoterapeuta dormia nas sessões. Outro cliente demorou dois anos para finalizar a psicoterapia na qual, segundo ele, "ficava lapidando uma pedra e nunca entendeu o motivo do que e para que fazia". Nesses atendimentos, sentia-me curiosa: por que os clientes, mesmo insatisfeitos e não compreendendo os objetivos do processo psicoterapêutico, permaneceram e investiram financeira e emocionalmente no que não lhes fazia sentido?

Repito. A psicoterapia não é para sempre, sendo recomendável para alguns momentos da vida nos quais a pessoa precisa do outro para descobrir outra maneira de perceber a situação e para se sentir humano quando confirmado por outro ser humano, assim como Hycner (1995, p. 61) afirma:

> Todos os seres humanos desenvolvem o "parecer" em alguma medida, a fim de sobreviver psicologicamente. Ainda assim, bem no íntimo da pessoa, a alma clama pelo reconhecimento de que *esta* pessoa única existe. Almeja o reconhecimento como indivíduo separado e, ao mesmo tempo, como um ser humano semelhante aos demais.

Mas a experiência também pode ser contrária quando, por exemplo, o cliente para de vir sem compartilhar com o terapeuta sua intenção de interromper o processo e envia mensagens de finalização por e-mail, redes sociais etc. Nesses casos, cabe lembrar que as interrupções podem refletir a dinâmica do cliente. O que se deseja enfatizar neste ponto é que, mesmo que o processo psicoterapêutico termine, os processos, tanto do cliente quanto do terapeuta, continuam. No entanto, esse tipo de interrupção sem avisos costuma provocar dúvidas, tais como: "O que eu fiz de errado para que ele parasse de vir?" Porém, nem sempre a interrupção do processo significa erro ou fracasso de uma das partes da relação terapêutica.

A clínica, a relação psicoterapêutica e o manejo em Gestalt-terapia

Jean Clark Juliano, em seu sensível e admirável texto "Três mulheres fazendo arte" (1999, p. 102), encorajou-me a não me abster de trazer à luz um término de processo do qual me senti enlutada quando escreveu para uma pessoa sobre uma amiga que morrera: "[...] a nossa querida amiga que já se foi. E, mesmo ausente, consegue 'costurar' pessoas". A mensagem que recebi dessa frase é que, mesmo ausente, sua amiga morta permaneceu viva e muito presente dentro dela. Considero a cliente com quem vivi a experiência de luto uma das clientes a quem mais amei – e por amor entendo o fato de ter me percebido conectada por mais de três anos, imaginando como sua vida estaria e como teria transformado sua existência.

Parkes (1998, p. 22-23) afirma que "a dor do luto é tanto parte da vida quanto a alegria de viver; é, talvez, o preço que pagamos pelo amor, o preço do compromisso". Após cinco anos de psicoterapia, a cliente amada escolheu encerrar seu processo por desejar "começar uma nova vida", que incluía se casar e se direcionar profissionalmente. Essa história em particular mexeu bastante comigo, pois em sua última sessão já me dei conta do meu sofrimento decorrente de seu afastamento.

Quando o cliente decide encerrar o processo, em geral não continuo com o contato, a não ser que ele me procure. Mais especificamente nesse caso, afastei-me de algumas situações nas quais poderia encontrá-la. E foi somente com um sonho que consegui de fato despedir-me dela – um sonho bom, em que pude realizar minha despedida, deixando-a ir de dentro de mim. Foi uma despedida sublime que possibilitou entender que ela continuou seu processo, mesmo sem que eu o testemunhasse. Cheguei à conclusão de que, embora considere prudente, responsável e ético indagar-nos sobre nossa postura como psicoterapeutas, também é preciso considerar que nem sempre é por causa do profissional que um cliente interrompe um processo. Mais uma vez, Juliano (1999, p. 104) provoca encantamento e confirma meu amor e meu luto quando menciona a fala de sua amiga, dizendo que "ela gostava de dizer, por exemplo, que rico é aquele que ama, não quem é amado, pois o amor reside na pele dele". Amei a cliente que se foi e ela permaneceu comigo muito tempo; mais do que o encontro da relação terapêutica, acredito que o desencontro com ela provocou em mim, terapeuta e pessoa, novas possibilidades de tornar-me mais rica por amar minhas feridas existenciais e cuidar delas.

Há ainda as interrupções decorrentes de conflitos e desavenças entre cliente e psicoterapeuta. Mais uma vez, vale salientar que cada caso é um caso, mas não é por acaso que eles acontecem. Desavenças e conflitos são incidentes que carregam uma bagagem do passado e anunciam um momento desconhecido. A separação representa o desconhecido, a separação do aqui-agora, e inaugura um futuro que se apresenta como possibilidade – tanto criativa, pelo teor da novidade em questão, quanto crítica, por apresentar um desconhecimento. A interrupção pode acontecer após um conflito.

"Ele me deu uma casa e eu queria um lar." Essa foi a frase proferida por uma cliente, de maneira emocionada, logo após a separação de seu marido. Essa pérola revelou um ponto-chave a ser considerado no conflito e nas desavenças que acontecem no relacionamento psicoterapêutico. Muitas vezes, o psicoterapeuta deseja oferecer um lar e alguns clientes não mostram prontidão para se apropriar dele, fugindo do lar porque desejam somente a casa. E, nesse sentido, há de se compreender:

fuga de quê? Para quê? E por quanto tempo? Além disso, considera-se que "o conflito é uma colaboração que vai além do que se pretende, em direção a uma figura inteiramente nova" (Perls, Hefferline e Goodman, 1997, p. 164).

Considerando não ser possível fechar todas as *Gestalten* e que cada fechamento depende de vários fatores, forças e vetores que compõem o campo da psicoterapia, nem sempre esta tem o desfecho desejado. É o caso de interrupções provocadas pelo cliente com a finalidade de se sentir abandonado ao se destituir do lugar que poderia ser dele. Nesse aspecto, apesar de acreditar que devemos respeitar a escolha do cliente, devemos também nos tornar *aware* de que não podemos assumir a responsabilidade pelas escolhas deles. Lembro-me de uma cliente que não quis continuar a psicoterapia que acontecia havia dois anos e meio. Ela se negou a pagar duas sessões que desmarcara um dia antes, dizendo que "não concordava mais com minhas regras". O fato de não querer mais cumprir com o pagamento alinhava-se com um momento em que se sentia agredida por todos, não queria mais ficar calada nem desejava "compactuar com violências em sua vida". Considerando que não havíamos conversado sobre a possibilidade de qualquer mudança em relação ao contrato e que, portanto, para mim ele não havia mudado, recebi com estranhamento sua negativa em pagar as sessões. Porém, apontei a mudança, tentando aproximá-la de sua vivência de não se calar mais às violências. Ao mesmo tempo, mantive a cobrança, alegando que mesmo respeitando sua mudança acreditava que ela deveria ter me incluído em sua discordância do fato de que não desejava mais se sentir aprisionada a normas e regras que lhe eram impostas, inclusive no âmbito da psicoterapia. Enfatizei que a psicoterapia era um lugar para descobrir necessidades, não para que as necessidades descobertas fossem satisfeitas pelo psicoterapeuta. A cliente interrompeu seu processo, dizendo que "eu a mandei embora no momento em que ela estava mudando". Um mal-entendido sem reparações, mas que possibilitou um bom entendimento sobre sua nova possibilidade de se rebelar, autorizando-se a escolher e a se afastar daquilo com o que não concordava mais. Interrupção necessária para a cliente que se percebia passiva e acreditava não ter coragem para se defender das violências.

Finalizando, desejo tecer algumas considerações acerca do término mais conhecido em psicoterapia: a alta. Não foi por acaso o fato de ter deixado por último esse aspecto do término. Ele se justifica porque não acredito na alta em Gestalt-terapia. A alta dada pela psicoterapia parece ser mais uma afirmação de que o terapeuta sabe mais do cliente do que o cliente sabe dele mesmo. Nesse sentido, prefiro assinalar ao cliente que pergunta sobre o tempo de psicoterapia: "Podemos combinar que ela durará até o momento em que fizer sentido para você". Até porque a sabedoria organísmica faz que tenhamos fé de que o cliente é quem pode ser o guia de quando suas *Gestalten* estão se fechando. No que tange à alta, prefiro compartilhar com o cliente quando percebo que ele conseguiu ou parece ter encontrado uma boa forma para aquilo que o motivou a procurar psicoterapia. Nesse momento, cabe a seguinte indagação: "Qual seria o momento de terminar uma psicoterapia?"

A finalização de um processo de psicoterapia é justificada quando a pessoa aprende a se desapegar do conhecido e do *status quo* para se dar a oportunidade de viver o novo, ou quando se descobre arquiteto e herói de si sem que se torne autossuficiente. E, como afirma Perls (1977, p. 51), "nosso potencial está baseado numa atitude muito peculiar. Viver e considerar cada segundo de novo".

A hora do término pode acontecer quando o cliente:

- criar condições para defender o próprio sangue e ser parecido com quem é (Beisser, 1970);
- puder aceitar que as situações da vida continuarão acontecendo, independentemente de ele querer ou não;
- puder redimensionar, resgatar e dar conforto a si e a outros.

A hora do término em Gestalt-terapia deve acontecer nas idas e vindas em que o cliente conseguir desfrutar de suas relações férteis e se afastar de relações tóxicas. Dessa forma, o término em psicoterapia poderá ser apoiado quando o cliente encontrar um propósito, transformando seu medo em fé. E, principalmente, sinalizar que está apto a exercitar seu desprendimento criativo, proposto por Perls, Hefferline e Goodman (1997, p. 161):

Aceitando seu interesse e o objeto e exercendo a agressão, o homem criativamente imparcial excita-se com o conflito e cresce por meio deste; ganhe ou perca, ele não está apegado ao que poderia perder, pois sabe que está mudando e já se identifica com o que se tornará. Essa atitude vem acompanhada de uma emoção que é o contrário do sentimento de segurança, isto é, a fé: absorvido na atividade concreta, ele não protege o fundo, mas retira energia dele, e tem fé em que este se mostrará adequado.

A vida não é constante, sendo por isso preciso viver da seguinte maneira: eu não sei do lá e então, mas no aqui-agora estou com você...

Enfim, o momento para o término pode acontecer quando o cliente se autorizar a reinventar-se solitariamente e a arcar com sua invenção de ser tão somente como é.

REFERÊNCIAS BIBLIOGRÁFICAS

BEISSER, A. R. "A teoria paradoxal da mudança". In: FAGAN, J.; SHEPHERD, I. L. (orgs.). *Gestalt-terapia: teorias, técnicas e aplicações*. Rio de Janeiro: Zahar, 1970.

ETCHEGOYEN, R. H. *Fundamentos da técnica psicanalítica*. Porto Alegre: Artes Médicas, 1987.

FRAZÃO, L. Aulas do Instituto de Psicologia do Departamento de Psicologia Clínica da Universidade de São Paulo. Disciplina PSC1525: Terapia cognitivo--comportamental e Gestalt-terapia, 2014.

HYCNER, R. *De pessoa a pessoa: psicoterapia dialógica*. São Paulo: Summus, 1995.

JULIANO, J. C. *A arte de restaurar histórias: libertando o diálogo*. São Paulo: Summus, 1999.

PARKES, C. M. *Luto*. São Paulo: Summus, 1998.

PERLS, F. *Gestalt-terapia explicada*. São Paulo: Summus, 1977.

PERLS, F.; HEFFERLINE, R.; GOODMAN, P. *Gestalt-terapia*. São Paulo: Summus, 1997.

VIORST, J. *Perdas necessárias*. 29. ed. São Paulo: Melhoramentos, 2009.

8
Gestalt-terapia na clínica ampliada

MARIA ALICE QUEIROZ DE BRITO (LIKA QUEIROZ)

Segundo relatório da Organização Mundial da Saúde (OMS, 2001) sobre a saúde no mundo, o último meio século testemunhou uma evolução na atenção à saúde, sobretudo a mental, que se traduziu em um movimento voltado para o respeito aos direitos humanos dos indivíduos com transtornos mentais e para o desenvolvimento de novas formas de abordar o sofrimento mental em um processo responsável de desinstitucionalização.

Compreendida como "um conjunto de transformações de práticas, saberes, valores culturais e sociais" (Brasil, 2005, p. 1), a reforma psiquiátrica constituiu-se como um processo político e social complexo, criando novos recursos de intervenção fora dos contornos e limites do consultório e da instituição hospitalar, integrando a comunidade como espaço de pacto social. Esses novos dispositivos da atenção primária em saúde, nas palavras de Silveira (2003, p. 24), "[...] devem ser compreendidos como estratégias agenciadoras de novos vínculos ou de novas significações na rede de contratualidade do sujeito em seu existir".

No Brasil, a ênfase dada à atenção primária em saúde, associada ao movimento da reforma psiquiátrica, levou à reestruturação dos serviços de saúde mental e à conceituação das equipes multiprofissionais nesse âmbito, incorporando, consequentemente, os psicólogos nos seus quadros efetivos (Spink, 2007). Nesse processo de reestruturação e criação de novos dispositivos de atenção à saúde mental, surgem os Centros de Atenção Psicossocial (Caps), trazendo o enfoque de uma clínica psicossocial. O trabalho em saúde mental passa a incidir, cada vez mais, sobre um campo que é excêntrico ao hospital. Sua atuação se amplia, saindo do contexto das clínicas e dos hospitais para o das trocas sociais com a comunidade local.

Nesse panorama, a atuação do Gestalt-terapeuta fica vinculada a uma demanda institucional; espera-se que ele desempenhe um papel de trabalhador social dentro dos movimentos de saúde, estabelecendo conexões intra e/ou interinstitucionais por meio de algumas estratégias intra e extramuros, a saber: apoio para a inserção social, visita domiciliar, grupos terapêuticos e operativos, oficinas terapêuticas, acompanhamento terapêutico e intervenções de rua, entre outras. Assim, na saúde pública o Gestalt-terapeuta é chamado a atuar fora dos espaços tradicionalmente constituídos para isso, sendo seu papel mediar a tensão entre a disfunção psíquica e a disfunção social, de forma que o funcionamento social possa integrar a disfunção psíquica (Silva, 2007).

Em outros termos, trabalhar com atenção primária em saúde traz, para o Gestalt-terapeuta, o desafio de abdicar dos saberes consagrados, "da atitude-padrão, previsível e controlada de quem trabalha entre quatro paredes, para se lançar em um espaço aberto de atuação, sem fronteiras demarcadas e sem medidas prévias de tempo" (Palombini, 2004, p. 24). Convida-o a ir onde a clientela vive e a estar diretamente no território onde os conflitos acontecem, lidando com um sujeito não mais apartado da sua realidade sociofamiliar; enfim, a lidar com uma prática cotidiana que o coloca face a face com a complexidade da vida e lhe demanda ações para as quais não há um manual orientador.

Estamos falando da construção de um novo modelo de atuação clínica, qualificada como "ampliada" – uma clínica não mais pensada a partir de um *a priori* individual, mas de uma perspectiva dialética entre sujeitos e coletividade (Moreira, 2007), pela qual se busca produzir um diálogo entre o mundo e o sujeito, seu mundo psíquico e a cultura. Uma clínica psicológica voltada para a atenção primária em saúde cujo foco do trabalho é o sujeito integral, sendo o processo saúde-doença compreendido não apenas sob o enfoque psicológico, mas também econômico, social e político. Nas palavras de Cardoso, Mayrink e Luczinski (2006, p. 16), "o desenvolvimento de uma prática pertinente com esse contexto e com uma visão de homem enquanto um ser de múltiplos aspectos (biopsicossocial-espiritual)". Esse enfoque holístico, defendido por Perls (1977, 1988, 1997, este ao lado de Hefferline e Goodman), ao trazer o conceito de campo unificado, campo organismo/ambiente, rompe o dualismo mente/corpo e pessoa/mundo, concebendo o homem como uma totalidade organísmica que não pode ser considerada independente do ambiente no qual está inserta. Assim, a clínica ampliada convida a um fazer clínico que, embora mantenha as atitudes de observação e escuta originárias do conceito de clínica, inclui as ações sociais e a rede de relações da vida do usuário. O Gestalt-terapeuta é convidado a participar dos anseios e práticas da comunidade, passando a considerar todos os campos de necessidade da vida social e humana – educação, trabalho, proteção ambiental, lazer, segurança, alimentação, moradia, respeito à vida e consideração humana – fundamentais para a construção da saúde integral.

Também chamada de "clínica psicossocial", "clínica do território" ou "clínica da reforma", a clínica ampliada pode ser pensada como uma clínica psicossocial que integra a estruturação psíquica e o pertencimento social, abarcando a complexidade das relações que definem as posições dos sujeitos no mundo, trazendo o desafio de dotar os indivíduos de um mínimo de recursos vitais que lhes permitam independência para as atividades da vida diária e para o exercício da cidadania (Silva, 2008; Rabelo *et al.*, 2005; Vietta, Kodato e Furlan, 2001). Em termos gestálticos, podemos falar em uma proposta que busca a construção do indivíduo como sujeito, o desenvolvimento da *awareness* de si como responsável por sua existência e o seu impacto no coletivo; o desenvolvimento da sua maturidade, ajudando-o a passar de um estado de dependência do suporte ambiental indispensável à sobrevivência a um estado no qual ele seja capaz de sustentar a si mesmo a partir da interação com o meio.

Nesse sentido, busca-se melhor qualidade de vida no campo da saúde. O objeto da prática consiste na produção do cuidado e não mais na cura, ou na proteção da saúde (Merhy, 2006). Essa produção de cuidado – uma atitude de acolhi-

A clínica, a relação psicoterapêutica e o manejo em Gestalt-terapia

mento considerada por Ayres (2001) um eixo norteador das ações em saúde mental na atenção básica – é **também enfatizada na Gestalt-terapia quando** Brown *et al.* (1992) afirmam que a atitude de cuidado, estar cuidadosamente atento **à forma de** iniciar o contato com o outro, respeitando as diferenças e considerando qualquer contato um fato significativo, é a essência da comunidade.

A Gestalt-terapia, com sua ênfase no desenvolvimento do potencial humano e em sua maturação, traz uma proposta teórico-metodológica que se ajusta a essa nova demanda, ao buscar muito mais favorecer o processo de crescimento e a tomada de consciência do que curar um sintoma (Sanchez, 2008).

Para a Gestalt-terapia, estar saudável é ter habilidades para lidar eficazmente com qualquer situação que se apresente no aqui-agora, alcançando uma resolução satisfatória de acordo com a dialética de formação e destruição de *Gestalten* (Latner, 1996), tanto no nível micro das *Gestalten* individuais quanto no nível macro das *Gestalten* coletivas (comunidade, grupos sociais). Esse processo contínuo de formação e destruição de *Gestalten*, também chamado de processo homeostático ou autorregulação organísmica, é definido por Perls (1988, p. 20) como "aquele pelo qual o organismo mantém o equilíbrio e, consequentemente sua saúde sob condições diversas. A homeostase é, portanto, o processo através do qual o organismo satisfaz as suas necessidades". Quando a necessidade não for satisfeita, a Gestalt permanecerá aberta, gerando uma situação inacabada, a qual mobilizará, criativamente, o organismo – individual ou societário – a fim de restaurar o equilíbrio.

Esse processo não se dá de forma aleatória, sendo regido pelo princípio da pregnância – capacidade do organismo de encontrar a melhor resposta, a mais adequada no momento, levando em consideração as próprias capacidades e os recursos do ambiente. Assim, para a Gestalt-terapia todo comportamento, individual ou coletivo, é um ajustamento criativo: ajustamento porque o organismo e o ambiente entram em contato e interagem, em um processo de acomodação mútua; criativo porque se configura como a melhor forma de expressão, dadas as próprias condições e as condições do entorno, transformando ambiente e indivíduo.

Considerando que todo organismo traz, inerente à sua condição de existência, a capacidade de se autorregular, fazendo ajustamentos criativos no seu campo, um planejamento das ações de saúde mental deve considerar as especificidades dos contextos dos territórios da vida cotidiana, resgatando os saberes e potencialidades dos indivíduos e da comunidade para uma construção coletiva de soluções. Vale ressaltar que o termo "território" é aqui utilizado designando não apenas uma área geográfica, mas pessoas, instituições, redes e cenários nos quais a vida comunitária acontece; um espaço dotado de identidade, onde o sujeito compartilha com seus pares sua versão sobre o mundo e suas tradições; ou seja, uma *práxis* específica que só pode ser apreendida convivendo e partilhando com o grupo seu território identitário (Brundtland, 2001; Haesbaert, 2002; Monken e Barcellos, 2007).

Ante o exposto, pode-se afirmar que a base dessa prática de gestão do cuidado em saúde mental é não apenas terapêutica como pedagógica, encontrando sua operacionalização, seu lócus de ação no território.

As práticas de saúde, portanto, devem levar em consideração a ambiência natural e a construída pela sociedade,

A clínica, a relação psicoterapêutica e o manejo em Gestalt-terapia

a relação de campo organismo individual-grupo social/meio, identificando como a população percebe os diversos tipos de ação no território e até que ponto as normas de utilização dos recursos dessa população e do seu território promovem determinados hábitos, comportamentos e problemas de saúde.

Tomando por base as sugestões de Costa e Brandão (2005), pode-se afirmar que o campo de atuação do Gestalt--terapeuta demanda:

- o conhecimento das relações familiares, comunitárias e institucionais;
- a mobilização das redes sociais – as redes naturais de contatos, os laços de pertencimento, as relações com outros profissionais com os quais os usuários e o próprio Gestalt-terapeuta trabalham;
- a construção de vínculos com as instituições e os líderes da comunidade;
- o desenvolvimento de ações que visem à autonomia e à autogestão;
- a competência técnica para o manejo de intervenções focalizadas;
- levar em conta, ao montar e conduzir qualquer proposta de trabalho, a flutuação da clientela e, consequentemente, a necessidade de manter uma alta motivação desta para que ela retorne.

Assim, esse campo de atuação demanda do Gestalt--terapeuta um conjunto de habilidades e competências que lhe permita desenvolver novos modelos de intervenção.

Embora Ribeiro (2013) considere que o processo psicoterápico se transforma em uma ação social por levar o cliente a entrar em contato com a realidade que o cerca, a maior parte das propostas de intervenção, na clínica ampliada, está incluída no modelo da ação terapêutica. Baseada no modelo da entrevista de núcleo de Wolk, Brito (2003) desenvolveu uma proposta de ação terapêutica definida como ação ou conjunto de ações que visam à promoção de mudanças – mudança no sentido de possibilitar a *awareness* do indivíduo ou do grupo sobre o que está acontecendo consigo e com o seu entorno, de modo que possa ressignificar-se e mover-se na direção da melhora da saúde e da qualidade de vida. Trata-se de uma proposta que inclui aspectos informativos e educativos, não se restringindo ao espaço do consultório e da instituição de saúde. Nessa proposta, o trabalho terapêutico é voltado para a necessidade que emerge como figura no momento.

Como propostas de ação terapêutica, podemos incluir intervenções de rua, grupos operativos, oficinas terapêuticas, grupos de atividades de suporte social, plantão psicológico, intervenções nos contatos informais dentro das instituições de saúde, atendimento nuclear e a grupo de familiares, visitas domiciliares, atividades de ensino, atividades de lazer com usuários e/ou familiares, visitas institucionais e atividades comunitárias, entre outras. Observa-se que grande parte das intervenções na clínica ampliada acontece em grupo.

Ribeiro (1994, p. 41) reflete que "o grupo é um microcosmo onde o cotidiano acontece, onde as relações negadas ou percebidas se fazem presentes". Um modelo de trabalho grupal que propicia bons resultados na clínica ampliada – seja uma proposta psicoterápica ou de ação terapêutica – é o gru-

A clínica, a relação psicoterapêutica e o manejo em Gestalt-terapia

po temático, no qual seus membros são reunidos em torno de um tema definido *a priori* ou retirado da própria demanda no momento. Na clínica ampliada, é mais comum trabalhar com grupos abertos e semiabertos. Em uma proposta de intervenção grupal que faça a interface da Gestalt-terapia com a psicologia social,

> [...] o que se procura compreender é a constelação de vínculos e papéis, padrões, normas e pressões grupais, a nível afetivo e funcional. Questões de poder, conflito, expectativas etc. são tratadas enquanto pertencentes à situação presente e a postura do terapeuta não favorece o aparecimento de fantasias a nível transferencial. A leitura dos eventos é predominantemente fenomenológica e transversal. (Tellegen, 1984, p. 73)

A ênfase nas intervenções focalizadas decorre do fato de que, por serem mais breves, possibilitam o atendimento a um maior número de pessoas; portanto, os atendimentos individuais e de grupo precisam ser conduzidos em um modelo de curta duração.

Antes de ir a campo, o Gestalt-terapeuta deve mapear o território onde vai atuar, a fim de obter subsídios para o desenvolvimento de um planejamento terapêutico de fato voltado para as necessidades da clientela, bem como conseguir referências sobre como se inserir na comunidade para obter a adesão dos usuários e o apoio das redes locais às suas propostas de intervenção.

Pensar em um planejamento terapêutico soa aparentemente paradoxal a uma atitude fenomenológica e, assim, epistemologicamente incoerente com a Gestalt-terapia. Porém, na minha concepção, fenomenologicamente pode-se pensar em um planejamento terapêutico em termos de uma hipótese processual a ser construída e revista ao longo de todo o processo; não uma formulação *a priori* a ser seguida pelo Gestalt-terapeuta, mas uma compreensão *a posteriori*, a partir do que vai sendo vivido a cada contato com o usuário, com a instituição ou com o próprio território.

Ao longo da minha prática como supervisora na área da clínica ampliada, desenvolvi um modelo de hipótese processual que apresento abaixo, explicando-o em seguida:

1 Caracterização da clientela.
2 Caracterização do trabalho e de seus objetivos.
3 Caracterização do local onde o trabalho acontecerá.
4 Conflitos a ser abordados e conflitos a ser deixados de lado.
5 Etapa do processo de contato em que a clientela se encontra.
6 Mapeamento do campo de forças.
7 Hipótese sequencial.
8 Recursos disponíveis.

A primeira preocupação do Gestalt-terapeuta deve ser conhecer a população com a qual vai trabalhar. A caracterização da clientela envolve o mapeamento de seu *modus vivendi*, sua cultura, seus valores. É uma população ribeirinha, rural, urbana, quilombola, um assentamento, uma "cidade do lixo", favela, invasão? Qual o seu histórico, como essa comunidade, povoado, bairro se construiu? Que etnias estão presentes? Deve-se ter o cuidado de não apenas identificar os grupos religiosos locais – e aqui não estou diferenciando crenças e seitas de religiões – como também conhecer seus preceitos, que nortearão as fronteiras de valor dessa população. É preciso entrar em contato com figuras significativas e lideranças, pessoas-chave para sua inserção no território; mas também conhecer o habitante comum, nas diversas camadas e faixas etárias, para fazer um levantamento de necessidades que reflita a realidade local. Comemorações e eventos que mobilizam naturalmente a população, desvelando a sua cultura, são aspectos relevantes que podem ser aproveitados como base para propostas de atividades.

Após o levantamento das necessidades dos usuários e do campo de ação do órgão no qual o Gestalt-terapeuta está inserto, a proposta de trabalho começa a ser delineada. Trata-se de uma proposta de intervenção específica, um plano de ação em médio ou longo prazo que envolverá um escopo maior de ações. Definem-se então os seus objetivos gerais e específicos e as ações a ser desenvolvidas. É preciso ter clareza sobre o impacto que o projeto como um todo e cada ação em si podem causar nos campos onde a clientela está inserta.

O terceiro ponto a ser considerado é a caracterização do local onde as ações vão ser realizadas: é aberto, fechado, na rua, na instituição em que se trabalha ou em algum local da própria comunidade? Que facilidades e/ou dificuldades pode oferecer?

Entre os conflitos que foram detectados, quais serão abordados, em que ordem, e quais serão deixados de lado? Para essa análise, utilizo os critérios de impacto, urgência e viabilidade: o nível de impacto que esse conflito tem no grupo/comunidade, a urgência da sua resolução, a viabilidade para ser abordado e resolvido. O critério de viabilidade é o mais significativo; mesmo que um conflito seja urgente e cause grande impacto no território, se a viabilidade for zero, deverá ser deixado de lado para não causar desgaste e consequente desmobilização por parte da equipe e dos usuários. Entre os conflitos que serão deixados de lado, é preciso ter claro que, embora eles não sejam abordados no momento, poderão ser retomados *a posteriori*. Quanto aos conflitos que não serão considerados por fugir da ingerência da equipe de trabalho, registre-se que são da alçada das instâncias governamentais ou de políticas locais.

O próximo passo é identificar em que etapa do processo do contato a clientela se encontra em relação à necessidade a ser atendida. Para essa análise o Gestalt-terapeuta pode usar o modelo de sua preferência: as quatro fases explicitadas por Perls, Hefferline e Goodman (1997) – pré-contato, contato, contato final e pós-contato –; o ciclo gestáltico de experiência desenvolvido por Zinker (2007) – *awareness*, energia/ação, contato, resolução/fechamento, retraimento, "nova" *awareness* –; ou o ciclo de contato construído por Ribeiro (2007) – fluidez, sensação, consciência, mobilização, ação, interação, contato final, satisfação, retirada. Após a identificação da etapa do contato na qual a clientela se encontra, é necessário identificar se a Gestalt está interrompida nessa fase ou se a clientela está em processo, ainda se movendo dentro da fase, para passar à fase seguinte. Cada uma dessas circunstâncias demandará do Gestalt-terapeuta diferentes propostas de intervenção.

Para a eficácia da hipótese processual, é preciso também detectar as forças impulsoras – aspectos, polaridades, circunstâncias presentes nos usuários/território que facilitam a locomoção no campo, o fechamento da Gestalt – e as frenadoras ou restritivas – aspectos, polaridades, circunstâncias que também

A clínica, a relação psicoterapêutica e o manejo em Gestalt-terapia

estão presentes no campo mas são obstáculos à locomoção, dificultando o fechamento da Gestalt (Garcia-Roza, 1972).

Com esses dados levantados, a hipótese sequencial vai sendo construída. Escolhi denominar de hipótese sequencial os questionamentos que o Gestalt-terapeuta fará sobre o próprio devir da sua proposta de trabalho: como o trabalho pode ser desenvolvido? Qual o primeiro passo? Como vai se desdobrar? O que pode acontecer se essa ação for implementada? Com base em que dados óbvios se está desenvolvendo essa hipótese? O que pode ser feito com o que se imagina que possa acontecer? Como o desenvolvimento dessa ação pode ser facilitado? Como evitar/neutralizar as forças restritivas? Como manter/aumentar as forças impulsoras? É importante lembrar que, como as hipóteses são da ordem do imaginário, devem ser confrontadas, ressignificadas ou reconstruídas pelos dados óbvios da prática ao longo do processo.

Não se pode esquecer de fazer o levantamento dos recursos materiais, técnicos e humanos necessários para a implementação das ações, bem como de que maneira e onde se pode obtê-los.

Trabalhar na clínica ampliada traz uma série de desafios a ser enfrentados pelos Gestalt-terapeutas. Em minha pesquisa de mestrado (Brito, 2012), observei que esses desafios resultam, principalmente, de cinco grandes fatores:

1 O fato de a clínica ampliada ainda constituir um saber em construção, ao mesmo tempo que gera o espaço para que o Gestalt-terapeuta descubra o seu fazer, traz um sentimento de insegurança, uma ambivalência entre a inca-

pacidade e o empoderamento. Isto gera uma demanda de capacitação e supervisão, de atualização contínua.

2   O contato com o outro, que apresenta uma realidade crua, de muita dor, miséria, desorganização psíquica, situações extremas de exclusão social, traz à tona os não ditos, os fantasmas do profissional. Como bem coloca Hycner (1995, p. 122), esse "[...] é o desafio para o terapeuta: não só apreciar total e profundamente a experiência do cliente, mas também manter seu próprio centro diante das experiências divergentes e até conflitantes. Fazer a inclusão". Ou seja, um contato pelo qual o Gestalt-terapeuta é todo o tempo confrontado na sua subjetividade por uma clínica que deixa à flor da pele seu mundo interno, além do enfrentamento de situações concretas de risco à sua higidez física. Um tipo de contato que é muito próximo e intenso com o usuário, em um contexto em que não há "muros" ou horário atrás dos quais o Gestalt-terapeuta possa se esconder. Tudo isso lhe exigirá, como pessoa e profissional, grande disponibilidade e alto nível de suporte interno.

3   A multiplicidade de demandas da instituição, dos usuários e da comunidade diante da escassez de psicólogos contratados nas unidades de saúde, gerando uma sobrecarga da qual a jornada de trabalho não dá conta. Isso demanda do Gestalt-terapeuta maior integração com a equipe, disponibilidade e consciência dos próprios limites, não como impedimento e sim como desafio para novas soluções.

4   Ainda não haver uma delimitação clara do que seja o território de cada profissão, além da falta de embasamento

teórico-prático para uma atuação com equipes multiprofissionais (Brundtland, 2001; Spink, 2007). Isso pode gerar no Gestalt-terapeuta dificuldade de delinear seu papel dentro da equipe. Tal situação pode ser agravada pelo fato de haver vários técnicos, de diferentes áreas, desenvolvendo o mesmo tipo de atividade, o que talvez desencadeie no profissional uma crise de identidade. Na verdade, trabalhar com uma equipe multiprofissional traz o desafio de conviver com várias linguagens, vários jeitos de lidar com o mesmo fenômeno para alcançar um mesmo objetivo: a melhoria da qualidade de vida do usuário, sua inserção na comunidade, o resgate da sua dignidade como cidadão. Isso implica o reconhecimento de que os saberes, abordagens e atuações das diversas áreas envolvidas não são excludentes, tendo pontos em comum; familiarizar-se com as especificações de cada trabalho e com a validação do papel do outro profissional. Trabalhar em equipe significa aprender a riqueza da dança das alteridades.

5 O impasse diante de questões políticas que fogem da sua ingerência como profissional, mas interferem em sua atuação, seus valores e sua ideologia. Isso exige, de um lado, jogo de cintura e criatividade para driblar as questões inerentes às instituições públicas – fazer muito com um mínimo de condições. De outro, uma ação política de mobilização social.

Para Figueiredo (2004, p. 63, 165), o campo da clínica psicológica deve ser definido por sua ética, significando que "ela está comprometida com a escuta do interditado e com a sustentação das tensões e dos conflitos. [...] Clinicar é, assim, *inclinar-se diante de*, dispor-se a *aprender com*, mesmo que a meta, em médio prazo, *seja aprender sobre*". Busca-se, assim, um modelo de atuação clínica que gere condições de uma escuta contextualizada.

Uma contribuição que a Gestalt-terapia pode oferecer ao trabalho na clínica ampliada é a sua escuta fenomenológica, na qual o profissional busca compreender o sentido do fenômeno com o qual lida não com base em seus significados, mas em como essa realidade está sendo significada por aquele que a vivencia. O modo como o Gestalt-terapeuta faz qualquer intervenção, a qualidade da sua presença, oferecendo acolhimento e confirmação, já são, em si, fatores de promoção de saúde.

O Gestalt-terapeuta que trabalha no contexto da clínica ampliada deve ter sempre como pano de fundo de qualquer ação pensada e/ou desenvolvida que a meta da abordagem é promover a livre e contínua fluidez de formação e destruição de *Gestalten*, na qual a necessidade hierarquizada pelo organismo, grupo ou sociedade que surge como figura seja plenamente experienciada, de forma que possa "dissolver-se em fundo (ser esquecida ou assimilada e integrada) e deixar a figura livre para a próxima Gestalt relevante" (Perls, 1992, p. 138).

Finalizando, é preciso lembrar que uma ação social não é uma ação psicológica e, embora as lutas sociais necessitem incorporar os *insights* e técnicas do universo psicológico, é mister que as condições sociais mudem para que se possa trabalhar adequadamente, lidando sobretudo com as funções psicológicas. Como afirma Lichtenberg (1990, p. 66), "é necessário um clima social que encoraje o experienciar de emoções sociais intensas, antes que qualquer massa crítica de in-

A clínica, a relação psicoterapêutica e o manejo em Gestalt-terapia

divíduos arrisque atender abertamente a aspectos muito vulneráveis de si mesmos".

Ainda inspirada em Lichtenberg (*ibidem*, p. 205), considero que as ações do Gestalt-terapeuta no contexto da clínica ampliada devem "estar imbuídas em uma atmosfera de esperança, esperança realista, no sentido que a luta é longa e difícil mas que é possível ser bem-sucedido a longo prazo se formos ativos, com nossos aliados, a curto prazo".

REFERÊNCIAS BIBLIOGRÁFICAS

AYRES, J. R. C. M. "Sujeito, intersubjetividade e práticas de saúde". *Ciência e Saúde Coletiva*, v. 6, n. 1, 2001, p. 63-72.

BRASIL. Ministério da Saúde. *Reforma psiquiátrica e política de saúde mental no Brasil*. Documento apresentado à Conferência Regional de Reforma dos Serviços de Saúde Mental: 15 anos depois de Caracas. Opas. Brasília: Secretaria de Atenção à Saúde/Coordenação Geral de Saúde Mental, 2005.

BRITO, M. A. Q. "Psicoterapia de curta duração sob o enfoque da Gestalt-terapia". *Coletânea do Serviço de Psicologia Professor João Ignácio de Mendonça – UFBA*. Salvador: EdUFBA, 2003.

_____. *A inserção do psicólogo no Centro de Atenção Psicossocial: repercussão na significação da sua atuação profissional*. Dissertação (mestrado em Psicologia Social), Universidade Federal da Bahia, Salvador (BA), 2012.

BROWN, J. *et al.* "The implications of Gestalt therapy for social and political change". *The Gestalt Journal*, v. XVI, n. 1, 1992, p. 7-54.

BRUNDTLAND, G. H. *Relatório sobre a saúde no mundo 2001*. Conferência proferida em Genebra, Suíça, out. 2001.

CARDOSO, L. C.; MAYRINK, A. R.; LUCZINSKI, F. "O psicólogo clínico na comunidade: desafios e possibilidades". *Revista da Abordagem Gestáltica*, Goiânia, v. XII, n. 2, 2006, p. 13-26.

COSTA, L. F.; BRANDÃO, S. N. "Psicologia clínica e psicologia social comunitária: um espaço de diálogo de construção de saberes e fazeres". In: FLEURY, H. J.; MARRA, M. M. (orgs.). *Intervenções grupais na saúde*. São Paulo: Ágora, 2005, p. 17-33.

FIGUEIREDO, L. C. M. *Revisitando as psicologias: da epistemologia à ética das práticas e discursos psicológicos*. Petrópolis: Vozes, 2004.

GARCIA-ROZA, L. A. *Psicologia estrutural em Kurt Lewin*. Petrópolis: Vozes, 1972.

HAESBAERT, R. "Fim dos territórios ou territorialidades?" In: LOPES, L. P. M.; BASTOS, I. C. (orgs.). *Identidades: recortes multi e interdisciplinares*. Campinas: Mercado de Letras, 2002.

Lilian Meyer Frazão e Karina Okajima Fukumitsu (orgs.)

HYCNER, R. *De pessoa a pessoa: psicoterapia dialógica*. São Paulo: Summus, 1995.

LATNER, J. *Fundamentos de la Gestalt*. Santiago de Chile: CuatroVientos, 1996.

LICHTENBERG, P. *Community and confluence: undoing the clinch of oppression*. Cleveland: Gestalt Institute of Cleveland Press, 1990.

MERHY, E. E. *Saúde: a cartografia do trabalho vivo*. São Paulo: Hucitec, 2006.

MONKEN, M.; BARCELLOS, C. "O território na promoção e vigilância em saúde". In: FERREIRA, A.; CORBO, A. M. (orgs.). *O território e o processo saúde-doença*. Rio de Janeiro: EPSJV/Fiocruz, 2007.

MOREIRA, M. C. M. "A construção da clínica ampliada na atenção básica" (resenha). *Caderno de Saúde Pública*, Rio de Janeiro, v. 23, n. 7, 2007.

ORGANIZAÇÃO MUNDIAL DA SAÚDE. Relatório sobre a saúde no mundo. *Saúde mental: nova concepção, nova esperança*. Genebra: World Health Report, 2001.

PALOMBINI, A. *Acompanhamento terapêutico na rede pública: a clínica em movimento*. Porto Alegre: Ed. da UFRGS, 2004.

PERLS, F. S. *Gestalt-terapia explicada*. São Paulo: Summus, 1977.

PERLS, L. *Living at the boundary*. Highland: The Gestalt Journal, 1992.

_____. *A abordagem gestáltica e testemunha ocular na terapia*. Rio de Janeiro: Zahar, 1988.

PERLS, F.; HEFFERLINE, R.; GOODMAN, P. *Gestalt-terapia*. São Paulo: Summus, 1997.

RABELO, A. *et al. Um manual para o Caps – Centro de Atenção Psicossocial*. Salvador: Bigraf, 2005.

RIBEIRO, J. P. *Gestalt-terapia: o processo grupal*. São Paulo: Summus, 1994.

_____. *O ciclo do contato*. São Paulo: Summus, 2007.

_____. *Teorias e técnicas psicoterápicas*. São Paulo: Summus, 2013.

SANCHEZ, F. *Terapia Gestalt: una guía de trabajo*. Barcelona: Rigden Institut Gestalt, 2008.

SILVA, M. V. O. "Entrevista". In: *A clínica social das psicoses. In-tensa. Ex-tensa*. Universidade Federal da Bahia. Programa de intensificação de cuidados a pacientes psicóticos, Salvador, ano I, n. I, 2007, p. 15-36.

SILVEIRA, D. P. *Sofrimento psíquico e serviços de saúde: cartografia da produção do cuidado em saúde mental na atenção básica de saúde*. Dissertação (mestrado em Saúde Pública), Fundação Osvaldo Cruz, Rio de Janeiro (RJ), 2003.

SPINK, M. J. P. *Psicologia social e saúde: práticas, saberes e sentidos*. Petrópolis: Vozes, 2007.

TELLEGEN, T. A. *Gestalt e grupos: uma perspectiva sistêmica*. São Paulo: Summus, 1984.

VIETTA, E. P.; KODATO, S.; FURLAN, R. "Reflexões sob a transição paradigmática em saúde mental". *Revista Latino-Americana de Enfermagem*, Ribeirão Preto, v. 9, n. 2, mar.-abr. 2001.

ZINKER, J. *Processo criativo em Gestalt-terapia*. São Paulo: Summus, 2007.

Os autores

Alberto Pereira Lima Filho
Psicoterapeuta de orientação junguiana; especialista em Gestalt-terapia pelo Instituto Sedes Sapientiae de São Paulo; mestre em Psicologia Clínica pela Universidade de São Paulo; doutor em Psicologia Clínica pela Pontifícia Universidade Católica de São Paulo; diretor da Opus Psicologia e Educação Ltda. É autor de *O pai e a psique* (Paulus, 2002), *Gestalt e sonhos* (Summus, 2002) e *Alma, gênero e grau* (Devir, 2008).

Beatriz Helena Paranhos Cardella
Psicóloga, psicoterapeuta e supervisora clínica. Mestre em Educação pela Universidade Paulista, especialista em Psicologia Clínica pela Universidade de São Paulo e em Gestalt-terapia pelo Instituto Sedes Sapientiae. Professora do curso de especialização em Gestalt-terapia do Instituto Sedes Sapientiae e do curso de formação em Gestalt-terapia do Satori GT – Campinas. Colaboradora do Instituto de Gestalt de São Paulo, onde ministra cursos e *workshops* em Gestalt-terapia. Autora dos livros *Laços e nós: amor e intimidade nas relações humanas* (Ágora, 2009), *A construção do psicoterapeuta* (Summus, 2002) e *O amor na relação terapêutica* (Summus, 1994), e de vários artigos e ensaios em revistas da abordagem gestáltica. Coordenadora dos Grupos de Estudos de Temas Clínicos, trabalho de formação continuada para psicoterapeutas em São Paulo e Campinas.

Ênio Brito Pinto

Psicólogo e psicopedagogo, é mestre e doutor em Ciências da Religião pela Pontifícia Universidade Católica de São Paulo, onde fez seu pós-doutorado em Psicologia Clínica. Além de Gestalt-terapeuta, é docente e coordenador do Instituto Gestalt de São Paulo e professor convidado de diversos cursos de formação e especialização em Gestalt-terapia no Brasil. É membro do Instituto Terapêutico Acolher, especializado no atendimento psicoterapêutico a religiosos católicos. Tem livros, artigos e capítulos de livros publicados nas áreas de psicoterapia, sexualidade e psicologia da religião.

Karina Okajima Fukumitsu

Psicóloga e psicoterapeuta; pós-doutoranda e doutora pelo Programa de Pós-Graduação em Psicologia Escolar e do Desenvolvimento Humano pela Universidade de São Paulo e bolsista PNPD/Capes; mestre em Psicologia Clínica pela Michigan School of Professional Psychology (EUA); especialista em Psicopedagogia pela Pontifícia Universidade Católica de São Paulo e em Gestalt-terapia pelo Instituto Sedes Sapientiae. Autora dos livros (todos editados pela Digital Publish & Print): *Suicídio e luto: história de filhos sobreviventes* (2013), *Suicídio e Gestalt-terapia* (2012) e *Perdas no desenvolvimento humano: um estudo fenomenológico* (2012).

Lilian Meyer Frazão

Uma das pioneiras na abordagem gestáltica no Brasil, é mestre em Psicologia Clínica pela Universidade de São Paulo, professora do Instituto de Psicologia da USP e do Departamento de Gestalt-terapia do Instituto Sedes Sapientiae, colaboradora em treinamentos de Gestalt-terapeutas no Brasil e no exterior, autora de artigos em revistas e responsável pela tradução de artigos e livros de Gestalt-terapia para o português.

Maria Alice Queiroz de Brito (Lika Queiroz)

Psicóloga; Gestalt-terapeuta; mestre em Psicologia Social pela Universidade Federal da Bahia; especialista em Psicologia Clínica; professora e supervisora do Instituto de Psicologia da UFBA; fundadora e codiretora do Instituto de Gestalt-terapia da Bahia; membro do corpo docente de Institutos de Gestalt-terapia no Brasil e na Espanha; criadora da metodologia "Reconfiguração do Campo Familiar: um enfoque transgeracional". Coautora dos livros *Catálogo de abordagens terapêuticas* (2005), *Dicionário de Gestalt-terapia* (Summus, 2009) e *Tratado de Psicologia Transpessoal: antigos ou novos saberes em psicologia?* (2012).

Mauro Figueiroa

Psicólogo pela Universidade Estadual Paulista; especialista nas áreas clínica e educacional pelo CRP-06; especialista em Gestalt-terapia pelo Instituto Sedes Sapientiae de São Paulo; professor, supervisor e membro da Coordenação de Cursos do Instituto Gestalt de São Paulo; exerce clínica de adolescentes, adultos e casais; consultor em empresas em programas de treinamento comportamental; autor de trabalhos apresentados em congressos e seminários e de artigos publicados em revistas especializadas.

Silverio Lucio Karwowski

Mestre em Psicologia Clínica pela Pontifícia Universidade Católica de Campinas; especialista em Gestalt-terapia pelo Instituto Sedes Sapientiae de São Paulo; licenciado em Psicologia e formado em Psicologia pela Universidade Federal de Uberlândia; professor das Faculdade Luciano Feijão (Sobral/CE) e Centro Universitário Estácio do Ceará; coordenador do Instituto Gestalt do Ceará.

www.gruposummus.com.br